COLLECTION
LECTURE FACILE

GRANDES ŒUVRES

BEL-AMI

GUY DE MAUPASSANT

Adapté par
NICOLAS BLONDEAU

Collection dirigée par
ISABELLE JAN

HACHETTE
58, rue Jean Bleuzen
92170 Vanves

Crédits photographiques : p.5, Nadar/Collection Viollet ; p. 8, Kipa ; p. 11, Jean-Pierre Guilloteau/Kipa ; p. 13, ND-Viollet ; pp. 16, 29, 35, 37, Jean Pimentel/Kipa ; p. 23, Collection Viollet ; p. 43, Jean-Pierre Guilloteau/Kipa ; pp. 45, 50, 63,91, Kipa ; p. 57, Jacques Loew/ Interpress ; pp. 68, 77, 87, la Cinémathèque française.

Couverture : Agata Miziewicz ; illustration : J. Béraud, *Sur le boulevard*, Carnavalet, Paris, Lauros-Giraudon.

Conception graphique : Agata Miziewicz.

Composition et maquette : Joseph Dorly.

Iconographie : Annie-Claude Medioni.

ISBN : 2-01-020707-6

Sommaire

NOTE : les mots accompagnés d'un * dans le texte sont expliqués dans « Mots et expressions », en page 93.

L'auteur et son œuvre

Guy de Maupassant est né le 5 août 1850, près de Rouen, au milieu de la campagne normande. Élevé par sa mère, il fait ses études dans un pensionnat où il est très malheureux. La Normandie de l'époque est dominée par la personnalité du romancier Gustave Flaubert, et la mère de Guy lui présente l'adolescent. Flaubert devine tout de suite son talent. Durant toute sa vie, il l'aidera dans sa carrière et sera pour lui un maître et un ami.

Le journaliste. Maupassant va tenter sa chance à Paris où l'école naturaliste*, celle des admirateurs de Flaubert – Émile Zola, Joris-Karl Huysmans, les deux frères Goncourt –, commence à faire parler d'elle. Maupassant va devenir, après Zola, le meilleur écrivain de l'école naturaliste. Pour gagner sa vie, il travaille dans les bureaux d'un ministère, mais devient bientôt un journaliste connu. La fin du XIXe siècle est la grande époque du journalisme parisien. Les hommes politiques commencent à craindre les journalistes. Comme le montre *Bel-Ami*, Maupassant observe avec attention les mœurs plus ou moins honnêtes de son milieu et de son époque.

L'écrivain du naturalisme. L'œuvre de Maupassant est très abondante. *Boule de suif* (1880), une nouvelle* qui se passe pendant la guerre de 1870, sera tout de suite un succès ; Maupassant est reconnu aujourd'hui comme un des maîtres de la nouvelle française. Il est aussi romancier. *Bel-Ami* est son chef-d'œuvre, mais il faut citer également *Une vie* (1883), *Pierre et Jean* (1884), *Fort comme la mort* (1889), *Notre cœur* (1890).

Ses contes et nouvelles sont innombrables. Ils mettent en scène soit la campagne normande avec ses paysans pauvres, avares et méchants, soit le monde du « boulevard » parisien : hommes d'affaires plus ou moins honnêtes, boursiers* et agents de changes*, journalistes prêts à se vendre, filles de mauvaise vie, femmes du monde faciles, joueurs, artistes et écrivains sans travail. Le regard de Maupassant sur la vie est pessimiste.

Ses dernières années seront très tristes. Il est peu à peu envahi par une terrible angoisse qu'il décrit dans le beau récit *le Horla* (1891) et qui se transforme en folie. Devenu fou furieux, il est envoyé dans la fameuse clinique du Dr Blanche. Les crises se succèdent, et il meurt le 6 juillet 1893.

Repères

Dans *les Illusions Perdues*, Balzac avait prédit que le journalisme allait devenir un pouvoir important, capable de renverser les gouvernements. Trente années plus tard, Maupassant lui donne raison. *La Vie française*, le journal où travaille Bel-Ami, représente plusieurs journaux de l'époque, comme *l'Écho de Paris* et *le Gaulois*, redoutés pour le talent de leurs rédacteurs*, mais aussi d'autres comme *Gil Blas* consacrés aux ragots* et aux scandales*.

Bel-Ami se situe dans cette fin de siècle, en France, marquée par un grand désordre politique. Les gouvernements tombent très facilement. Avec la mise en Bourse* des valeurs industrielles, tout est prétexte à gagner de l'argent et les hommes publics sont souvent au centre d'un scandale boursier, d'une « affaire ». Ce qu'on appelle « l'aventure coloniale », l'envoi des troupes françaises en Indochine, en Tunisie, la guerre du Tonkin... est l'occasion d'enrichissements douteux. Enfin, des profondeurs du pays, monte un antisémitisme violent qui s'exprimera au grand jour avec l'affaire Dreyfus à partir de 1894. Maupassant est mort un an avant.

Ce roman a beaucoup inspiré le cinéma. On peut citer notamment :

Bel-Ami (1939) : film allemand de Willy Forst.

Bel-Ami (1947) : film américain d'Albert Lewin.

Bel-Ami (1955) : film français de Louis Daquin.

Bel-Ami a été adapté pour la télévision française en 1983 par Pierre Moustiers, avec, dans les rôles principaux, Jacques Weber (Bel-Ami), Marisa Berenson (Clotilde de Marelle), Aurore Clément (Madeleine Forestier). Les illustrations de cet ouvrage proviennent, pour la plupart, de cette adaptation.

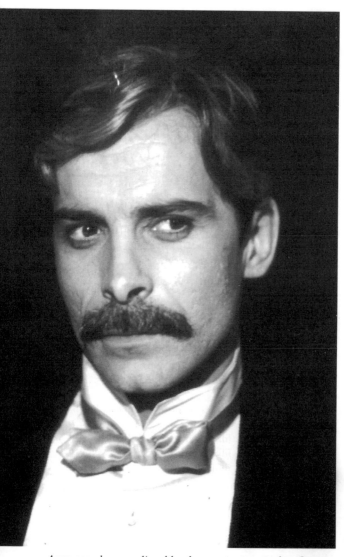

Avec ses cheveux d'un blond roux, sa moustache, Georges Duroy a belle allure.

Chapitre premier

Une soirée d'été, la ville est chaude. Un jeune homme, la tête haute, se promène sur les grands boulevards* ; son nom ?... Georges Duroy. Il a une belle allure : les cheveux d'un blond roux, une moustache, les yeux clairs. Les femmes se retournent sur son passage. Il a cependant quelque chose d'un peu vulgaire avec ses vêtements trop voyants. À tout cela s'ajoute un côté militaire [1] : son pas est rapide et fier, il bouscule les passants sur son chemin. C'est un ancien sous-officier [2]. Dans sa poche, quelques sous, trop peu pour boire et manger à son envie. Et pas de salaire avant la fin du mois !

À quoi rêve-t-il ? Que désire-t-il ?... Une femme. Sur les trottoirs, il croise des filles de mauvaise vie. Il attend mieux. Pourtant, il aimerait approcher ces femmes légères et faciles.

Il a soif tout à coup. Mais, non ! Vraiment, il est trop pauvre. S'il boit maintenant, pas de dîner le lendemain !... Il marche devant les grands cafés, il observe ceux qui, derrière les longues tables, boivent de nombreux verres de toutes les couleurs. Il

---

1. Militaire : homme faisant partie de l'armée.
2. Sous-officier : titre de l'armée permettant de donner des ordres aux soldats. Les sous-officiers obéissent aux officiers, les premiers de l'armée.

est jaloux, jaloux de leur argent. Leur joie le met en colère. Il voudrait tous les tuer !

Il pense aux deux dernières années qu'il a passées en Afrique. C'était le temps heureux où il volait les Arabes. Ce souvenir le fait sourire. Un sourire de joie méchante. Il était normal alors pour un soldat français de faire du profit sur les Arabes. Ici, à Paris, c'est bien différent. Il regrette ces deux années en pays étranger.

Un jeune homme passe. Il se rappelle avoir vu sa tête quelque part. Oui ! C'était à l'armée, cet homme s'appelait Charles Forestier. Il lui court après et lui frappe l'épaule. Joyeux, ils se serrent la main. Forestier lui dit qu'il est malade. Il tousse : une bronchite [1], depuis quatre ans. Il lui explique aussi qu'il a un très bon métier : journaliste, directeur du service politique de *la Vie française*. Il a beaucoup changé, il est devenu gros, il semble usé et a quelques cheveux blancs. Ils décident d'aller à *la Vie française* et, après, de prendre ensemble un verre.

En chemin, Duroy parle de sa vie à Paris. Depuis six mois, pour un maigre salaire, il est employé aux bureaux du chemin de fer du Nord. Il se trouve complètement seul. Il dit qu'il espère être pris comme écuyer [2] dans un manège [3] avec un meilleur salaire. Forestier l'arrête :

– Ne continue pas dans cette direction, c'est idiot ! Il faut te trouver un emploi plus intéressant et bien mieux payé, te faire ta place sans rien demander à personne. Il faut paraître fort et savant. Tous les hommes sont stupides.

---

1. Bronchite : maladie de la poitrine.
2. Écuyer : homme qui fait des exercices sur un cheval.
3. Manège : endroit où se font ces exercices.

Georges Duroy reconnaît Charles Forestier sur les grands boulevards.

Forestier parle comme un homme qui connaît bien la vie. Soudain, il est pris d'une violente toux :
– Il faut que j'aille me faire soigner dans le Midi ! avoue-t-il.

Ils sont arrivés devant la grande porte du journal. Forestier invite Duroy à entrer. L'intérieur est sale. Duroy regarde les gens qui vont et viennent. Ils semblent fort occupés et se donnent l'air important. Forestier revient en compagnie d'un grand garçon maigre, de trente à quarante ans, vêtu de noir avec une cravate blanche. Il explique à Duroy qu'il s'agit d'un chroniqueur* connu, Jacques Rival, payé une fortune [1] pour deux articles par semaine. En sortant, ils rencontrent

---

1. Fortune : beaucoup d'argent, richesse.

un autre homme que Forestier salue. C'est un poète*, Norbert de Varenne, lui aussi très bien payé par le journal.

Ils vont s'asseoir dans un café. Forestier demande deux verres de bière et, tout à coup, dit à Duroy :

– Pourquoi ne pas essayer de faire du journalisme ?

Duroy est surpris : il n'a jamais rien écrit. Mais Forestier se dit prêt à l'employer pour de simples travaux de recherches, de visites. Il suffit qu'il en parle à son directeur. Duroy finit par accepter. Forestier l'invite alors à dîner chez lui. Il y aura du beau monde. Duroy n'a pas de tenue de soirée assez élégante [1]. Forestier s'étonne :

– Tu n'as pas d'habit ? À Paris c'est indispensable. On peut se passer d'un lit, mais pas d'un habit !

Enfin, il sort un peu d'argent de sa poche et l'offre à Duroy en lui demandant de louer un beau costume. En remerciant, Duroy promet de ne jamais oublier ce geste amical. Duroy a alors une idée :

– Si on allait aux Folies-Bergère* ?

– Pourquoi pas, ce sera drôle ! répond Forestier.

Au bout de la grande salle des Folies-Bergère, trois hommes font un exercice de trapèze [2]. La fumée des cigares et des cigarettes forme un nuage si épais qu'on voit à peine la scène. Duroy préfère regarder autour de lui les allées et venues des femmes. Il y a ici toutes sortes de gens : des artistes, des bourgeois aux visages idiots, des employés et, toujours, ces filles faciles, à la

---

1. Élégant : très bien habillé.
2. Trapèze : barre maintenue en hauteur sur laquelle les artistes de cirque font des exercices d'équilibre.

Dans la grande salle des Folies-Bergère, on rencontre toutes sortes de gens.

recherche d'un homme riche. L'une d'elles, une grosse brune, l'observe depuis un moment. Sur sa bouche son rouge à lèvres fait penser à une blessure. Comme une de ses amies passe, elle l'appelle et lui dit :

– Regarde ce joli garçon ! Pour dix sous, je ne dirais pas non.

Forestier a remarqué le succès [1] de Duroy et il le félicite. Les deux amis se lèvent pour trouver un endroit plus tranquille. Forestier tousse sans arrêt. Ils reprennent un verre, à côté, dans un petit jardin. La grosse brune revient avec son amie. Elles s'assoient en face d'eux. Duroy ne trouve rien à dire tant il est intimidé. Forestier lui répète :

– Tu as vraiment du succès avec les femmes, ça peut te mener loin, tout passe par elles.

---

1. Succès : facilité à plaire ; réussite.

Chapitre II

Georges Duroy porte un habit de soirée pour la première fois de sa vie. En montant les escaliers du bel immeuble, il a un peu peur d'être ridicule et son cœur bat. Soudain, il aperçoit un monsieur bien habillé qui le regarde. Quelle surprise ! ce monsieur, c'est lui-même ! Il est tellement élégant qu'il ne s'est pas reconnu dans la glace de l'étage. Comme un acteur répète son rôle, il se fait des gestes et des sourires à lui-même, mais il a peur d'être vu et continue de monter. Il a confiance, il va réussir ! Le domestique [1] qui lui ouvre la porte est aussi élégant que lui. Enfin, pense-t-il, il va pénétrer dans un monde nouveau, charmant, désiré. En voyant une jolie femme, blonde et bien habillée, lui tendre la main en souriant, il se rappelle que Forestier est marié. Elle est belle avec ses formes bien dessinées, ses yeux gris et ses cheveux frisés. Elle l'interroge sur son existence à Paris. Il répond que, grâce à Forestier, il espère faire ses débuts dans le journalisme. À cet instant, Mme de Marelle, une petite brune, agréable et vive, fait son entrée. Elle est suivie d'une enfant, Laurine, que Mme Forestier embrasse sur le front.

Arrive ensuite un homme petit et gros, le directeur de *la Vie française*, M. Walter, un juif [2], homme d'argent et d'affaires. Plus grande que lui, sa femme lui tient le bras. Elle a des manières distinguées. Puis apparaissent l'élégant Jacques Rival

---

1. Domestique : employé de maison.
2. Juif : homme qui est de religion juive, israélite.

et Norbert de Varenne, un vieil original, dont les longs cheveux tombent sur les épaules. Enfin Forestier entre en s'excusant.

On se met à table en discutant de l'actualité* ; on passe d'un sujet à l'autre, chaque événement est étudié avec attention. Cependant on ne juge pas, on ne s'étonne pas, on essaye d'expliquer, on cherche les raisons profondes de toutes choses, même des crimes, comme on regarde un objet de tous les côtés. Duroy n'a pas le courage de parler. Il boit de plus en plus de vin et se sent très gai. La conversation s'arrête sur la situation de l'Algérie*. Duroy connaît bien ce pays. Voilà l'occasion ! Il prend la parole et explique avec talent, à l'aide de ses souvenirs, comment la vie était organisée là-bas. Tous, et surtout les femmes, l'écoutent avec admiration. Forestier en profite pour demander à son directeur :

– Ne pensez-vous pas que cet homme peut travailler pour le journal ?

– En effet, répond M. Walter.

Il se tourne vers Duroy pour l'inviter à passer le voir le lendemain ; il ajoute même :

– Dès que possible faites-nous un bel article sur l'Algérie, c'est tout à fait d'actualité.

Duroy se tourne vers sa voisine, Mme de Marelle, et lui adresse des paroles aimables. La jeune femme le regarde et lui fait un de ces sourires qui vont droit au cœur.

Juste avant de passer au salon prendre le café, Mme Forestier glisse à Duroy :

– Occupez-vous de Mme Walter.

Duroy obéit et réussit à se rendre intéressant. Puis il s'installe près de Mme de Marelle et recommence son numéro de charme avec autant de succès qu'auprès de Mme Walter. Il embrasse la petite Laurine qui rougit de plaisir, ce qui fait dire à sa mère :

– Vous êtes irrésistible, M. Duroy.

Le jeune homme salue et s'en va. Dans l'escalier, il sourit à la glace qui lui renvoie son image de joli garçon.

Duroy se montre charmant avec Mme de Marelle et la petite Laurine.

Chapitre III

Duroy se dépêche de rentrer, pris par l'envie de se mettre à son article. Il habite un affreux logement, pas même un appartement, une chambre petite et sale, remplie d'odeurs de mauvaise nourriture, mélangées à celle des toilettes de l'étage. Il se place devant la seule fenêtre qui donne sur une triste gare et écoute le bruit des trains : « Allons, au travail ! » Sur la page blanche, il écrit : « Souvenirs d'Afrique », et c'est le vide. Toutes ses idées, toutes ses pensées qui s'étaient si bien présentées lors du dîner se sont enfuies. Il ne trouve que de pauvres phrases sans intérêt et sans charme. Il est pris par un sentiment de désespoir : tout est fini, jamais il ne sortira de la misère [1] ! Il pense à ses parents, de pauvres paysans qui ont payé ses mauvaises études et qui ont cru à son avenir dans cette armée qu'il a quittée pour faire fortune* à Paris.

Ah ! Comme il a envie de succès, d'argent, de pouvoir. Il se jette sur son lit et s'endort en se disant : « J'ai trop bu ce soir, je n'ai pas la tête libre, demain je travaillerai bien mieux ! »

Très tôt le lendemain matin, il se lève, rempli d'espoir et de volonté [2]. Mais, devant sa table, toujours rien. Cette fois il ne perd pas courage. Il pense qu'il lui suffit d'aller demander un peu d'aide à Forestier.

Forestier sortait de son immeuble. Il se montre surpris de le voir de si bonne heure :

---

1. Être dans la misère : être très pauvre.
2. Volonté : qualité de quelqu'un qui sait ce qu'il veut et qui le fait.

– Impossible d'écrire mon article sur l'Algérie, je n'arrive pas à trouver les expressions justes.

Forestier sourit :

– Je connais ça, va vite voir ma femme, je lui ai appris le métier, elle te donnera un bon coup de main[1] !

En effet, Mme Forestier semble contente de pouvoir aider le jeune homme. Duroy n'a d'yeux que pour ce corps si jeune et si rond dont il essaye de deviner les formes au travers des vêtements légers. Elle prend une cigarette, le fait asseoir, lui donne une plume et commence à lui poser des questions intelligentes. Duroy se met à parler. Ses souvenirs, ses impressions reviennent.

Au bout d'un quart d'heure elle l'interrompt :

– Commençons maintenant !

Alors, sans s'arrêter, elle lui dicte[2] un article plein de drôlerie et d'idées originales. L'une d'elle est d'écrire l'article sous la forme d'une lettre adressée à un ami, ce qui permet de glisser des petites scènes amusantes de façon directe. Quand c'est terminé, elle se frotte les mains, toute fière. D'abord Duroy n'ose pas signer : il a mauvaise conscience[3]. Elle insiste :

– C'est comme ça qu'on écrit un article, cher monsieur.

Puis, changeant brusquement de sujet de conversation, elle lui demande :

– Que pensez-vous de Mme de Marelle ?

– Très séduisante, répond Duroy, et en même temps il pense : « Pas autant que vous .»

---

1. Donner un coup de main : aider quelqu'un.
2. Dicter : lire ou parler tout haut pour qu'un autre écrive.
3. Avoir mauvaise conscience : être malheureux d'avoir fait une mauvaise action.

Mme Forestier lui fait un gentil portrait de son amie et lui explique que Mme de Marelle est souvent seule, que son mari voyage beaucoup. À ce moment un homme grand et distingué entre dans le salon. Mme Forestier hésite un instant et le présente :

– Le comte de Vaudrec, notre meilleur ami.

Il a l'air froid et sérieux. Duroy lui serre la main et s'en va, désolé d'arrêter une si charmante conversation.

À trois heures il se présente à *la Vie française* pour donner son article à M. Walter. Un garçon de bureau lui montre un salon et lui dit d'attendre. D'autres personnes, hommes et femmes, riches et pauvres, attendent elles aussi. Au bout de vingt minutes, Duroy demande à voir Forestier. Le garçon l'emmène dans une autre pièce. Forestier est là, en plein travail avec d'autres journalistes : ils font une partie de bilboquet [1]. Forestier réussit à tous les coups. Il montre à Duroy son extraordinaire collection de bilboquets, puis l'accompagne dans le bureau du directeur. Sans lui, il aurait pu passer la journée à attendre. M. Walter est lui aussi très occupé : en pleine partie de cartes avec trois amis ! Il est très satisfait de voir Duroy, et encore plus satisfait d'avoir son article. Forestier en profite pour lui rappeler sa promesse d'engager Duroy au journal. M. Walter accepte et ils retournent dans l'autre pièce où la partie de bilboquet continue. Tout en jouant, Forestier lui explique ce que sera son travail :

– Un : tu iras voir ce qui se passe au commissariat de police. Deux : tu iras interroger les per-

---

1. Bilboquet : jeu d'adresse.

sonnes que je t'indiquerai. Trois : tu travailleras avec Saint-Potin. Quatre : tu toucheras deux cents francs par mois et deux sous [1] par ligne sur les articles intéressants.

Et il continue à jouer au bilboquet.

---

1. Sou : cinq centimes, la plus petite partie du franc.

C hapitre IV

Duroy est tellement content à l'idée de voir son article imprimé* qu'il dort mal. Le lendemain, à la première heure, il court acheter *la Vie française*. Quelle joie ! L'article est imprimé avec sa signature en bas de page. Duroy a envie de crier à tous les passants : « Lisez, lisez donc mon article ! »

Il se fait faire des cartes de visite à son nom, avec son nouveau métier écrit en gros. Il se rend au journal où il trouve Forestier occupé à écrire une lettre. Celui-ci le reçoit froidement, comme pour montrer son rang plus élevé. Quand il apprend que Duroy n'a pas fait son deuxième article, il se met en colère :

– Si tu crois que tu seras payé à ne rien faire, tu te trompes.

Enfin, il lui présente Saint-Potin, l'homme avec qui il doit travailler. Il leur explique ce qu'il attend d'eux : prendre des renseignements sur un général chinois et sur un riche homme d'affaires indien. Il demande à Duroy de bien observer comment Saint-Potin fait pour réunir des informations. Dès qu'ils sont seuls, Saint-Potin se met à parler du journal et des gens qui y travaillent.

– Le directeur, c'est un vrai juif. Il ne pense qu'à l'argent. Son journal sert à appuyer des hommes politiques, des hommes d'affaires. C'est de là que viennent les profits. Cet homme est un vendu. Pour lui, chaque sou est bon à prendre. Forestier, celui-là, il doit tout à sa femme. Elle fait tout pour lui, même ses articles ! Elle est la maîtresse du riche comte de Vaudrec. C'est lui qui l'a dotée [1] et mariée.

Duroy en a assez d'écouter tous ces bavardages, il demande :

– N'avons-nous pas deux importants personnages à visiter ?...

– Comment !... Mais pas du tout ! On voit que vous êtes sans expérience. Ce Chinois et cet Indien, je sais tout ce qu'ils pensent. D'ailleurs ils étaient déjà venus à Paris il y a deux ans. Il me suffit donc de lire de vieux articles de cette année-là et de les réécrire. Ça ira très bien ! Sans oublier de demander au journal le prix de la voiture que nous n'avons pas prise pour une visite que nous n'avons pas faite ! Voilà comment il faut agir quand on est un bon reporter ! Maintenant, je n'ai plus besoin de vous, au revoir.

Rentré chez lui, Duroy se met à penser à la suite de sa chronique* et c'est encore le vide dans sa tête. Rien à faire. Il décide d'aller voir Mme Forestier, ils ont passé un si bon moment tous les deux qu'elle l'aidera bien encore une fois.

Hélas, Charles Forestier est chez lui, en train de se faire dicter un article par sa femme. L'arrivée de Duroy le met en colère :

– Tu t'imagines peut-être qu'on va faire ton travail à ta place, pas question mon vieux !

Mme Forestier n'a pas dit un mot. Elle fume en souriant et Duroy part en faisant des excuses. De retour à son appartement, il se jette sur son papier et se met à écrire un article plein de détails inutiles, pleins de petits faits ridicules, le tout dans un style enfantin. Il va porter son article à *la*

---

1. Dotée : vient du mot « dot » ; au moment du mariage, la femme apporte sa dot, c'est-à-dire de l'argent, des objets de valeur.

Titres des journaux du matin, à la fin du XIXᵉ siècle. On y trouvait des articles parfois redoutables.

Vie française où il retrouve Saint-Potin, très fier de son article sur le Chinois et l'Indien. Il faut dire qu'il a eu du succès.

Forestier arrive et leur donne du travail : quelques nouvelles à prendre et quelques enquêtes* à faire. Duroy lui remet sa chronique. Avant de partir, il va se faire payer par le secrétaire et se retrouve avec une telle somme d'argent qu'il se croit riche pour longtemps.

Le lendemain, il cherche son article dans le journal : rien. Il court au journal où Forestier lui apprend que le directeur ne l'a pas trouvé assez bon. Il doit le refaire. Les jours suivants, il travaille sur cet article. Chaque fois celui-ci est refusé. Alors il comprend qu'il ne faut pas aller trop vite, qu'il faut d'abord devenir un excellent reporter.

Petit à petit, il apprend le métier. Il connaît tous les milieux : ceux du théâtre, de la politique, de la police, des princes, des hommes riches, des garçons de café, des femmes faciles. À force de les voir tous les jours, d'être partout à la fois, il réussit à devenir l'ami de tous. Il les juge du même œil.

Ainsi, peu à peu, il devient un journaliste reconnu et apprécié [1]. Cependant, la vie des cafés, des restaurants, des spectacles coûte cher et Duroy reste sans un sou, alors que ses collègues sont toujours riches. Comment font-ils ? Quel est leur secret ? Duroy n'a qu'une envie : découvrir ce secret.

---

1. Apprécier : trouver bon.

*C*hapitre V

Au bout de deux mois, Duroy commence à se sentir enfermé dans son métier. Il voudrait s'élever encore, avoir plus de pouvoir. Il a appris à mieux écrire, ce qui lui permet de placer de temps en temps un petit article. Ce n'est pas assez pour gagner une fortune. Même Forestier, son ami, lui parle froidement. Pour sa réussite, il ne voit que les femmes. Toutes le regardent avec sympathie. Par peur de son mari, il n'ose plus retourner chez Mme Forestier. L'idée lui vient d'aller rendre visite à Mme de Marelle.

Celle-ci est ravie[1] de le voir :

– Comme c'est gentil de venir ici, je pensais que vous m'aviez oubliée, quelle joie !

Et tout de suite ils se mettent à bavarder comme de vieux amis. Ils se sentent proches l'un de l'autre ; en effet, ils possèdent les mêmes goûts, les mêmes envies. Duroy la trouve belle, il voudrait la prendre dans ses bras, poser un baiser sur son joli sourire. Laurine arrive et Duroy la fait parler. La petite est heureuse. Duroy promet une autre visite.

Les jours qui suivent, il repense souvent à ces heures si charmantes qu'il a passées avec la jeune femme. Son image ne le quitte plus, il en est prisonnier.

Aussi il n'attend pas longtemps avant de revenir. Dans le salon il trouve la petite Laurine, sa mère n'est pas encore levée. Duroy lui propose de

---

1. Ravie : très contente, enchantée.

jouer et ils s'amusent à se poursuivre dans l'appartement en bougeant les chaises et les tables. Laurine a les joues toutes roses de plaisir. Mme de Marelle est surprise par tout ce mouvement. Elle envoie Laurine dans sa chambre pour rester seule avec le jeune homme. À voix basse, elle lui explique qu'elle désire l'inviter à dîner au restaurant avec les Forestier. Ce serait sympathique. Duroy accepte avec bonheur et lui dit au revoir. Comme la dernière fois, il garde en son cœur le souvenir de la jeune femme. Il attend avec grande impatience le jour du dîner.

Il arrive le premier au restaurant. On le fait monter dans une petite salle tout à fait isolée. Bientôt Forestier entre et lui serre la main avec chaleur. Il se montre plus amical qu'au journal. Il parle de sa santé qui est bien mauvaise. Les deux femmes font leur entrée en même temps. Mme Forestier demande à Duroy pourquoi il ne vient plus la voir :

– Est-ce que Mme de Marelle prend tout votre temps ? ajoute-t-elle en riant.

Mme de Marelle demande au garçon qui attend :

– Du champagne ! Du champagne, ce soir c'est la fête ! À boire, encore à boire !

Ils mangent des huîtres [1] qui fondent dans la bouche comme des bonbons, du poisson d'une belle couleur rosée, de la viande bien tendre accompagnée de petits légumes et enfin une glace aux fruits rouges.

Ils boivent un vin de Bordeaux délicieux, du champagne rosé et des liqueurs [2] fortes avec le café. Ils bavardent gaiement. Mme de Marelle, un

---

1. Huîtres : coquillages de mer qu'on mange généralement crus.
2. Liqueurs : boissons alcoolisées à base de blé, d'orge ou de fruits.

peu ivre [1], rit comme un oiseau. Ils parlent de l'amour, des baisers, des vêtements qui s'envolent, des promesses, des mains qui se perdent, de toutes ces choses pleines de mystère, de joie et de peur aussi.

Forestier, à présent, est presque couché sur son siège. Tout à coup, il est pris par une horrible et bruyante crise de toux, il n'arrive plus à respirer. Cela lui fait perdre toute sa bonne humeur et il ne pense plus qu'à rentrer. On paye et on sort. Mme de Marelle est beaucoup trop ivre pour rentrer seule. Duroy propose de l'accompagner et appelle un fiacre*.

À l'intérieur de cette boîte sombre et pleine de mouvements, il la sent tout contre lui. Pas un mot, le silence...

Quand son petit pied vient toucher sa jambe, il perd tout contrôle de lui-même. Il se tourne vers elle, la prend dans ses bras, la serre de toutes ses forces. Enfin, brutalement, il l'embrasse. D'abord, elle pousse un cri, mais bientôt elle s'abandonne et lui offre sa charmante bouche. Ils sont arrivés. Duroy descend le premier pour lui donner son bras. En passant près de lui, elle lui glisse d'une voix douce et tendre :

– Venez déjeuner demain.

Duroy rentre seul. Son cœur bondit de joie dans sa poitrine. « Je tiens une Parisienne, une femme riche ! Une femme importante ! Et tout a été facile... » Et puis, inquiet, il se dit : « Mais non, elle était ivre, demain ce sera une autre chanson. » Il se rassure bien vite : après tout, il saura la garder comme il a su la prendre.

---

1. Ivre : qui a trop bu de vin.

Le lendemain tout se passe bien. Dès qu'il la voit dans son salon, il s'écrie :

– Comme je vous aime, comme je vous aime !

Et ils s'embrassent longtemps. Mais Mme de Marelle a peur d'être surprise par sa domestique. Comme il insiste, elle promet de venir le voir chez lui. Duroy proteste :

– Mon appartement est très pauvre.

– Ne vous inquiétez pas, c'est vous que je viendrai voir et non votre appartement.

En sortant, Duroy rencontre la petite Laurine qui crie :

– Tiens c'est Bel-Ami !

Mme de Marelle se met à rire et dit :

– Quel joli nom, il vous va à merveille ! Nous le gardons.

Le soir, après son travail, Duroy essaye de rendre son appartement plus agréable : il colle [1] sur le mur des dessins d'oiseaux pour cacher les taches. Il achète du vin doux et un gâteau qu'il pose sur la table. Le jour suivant, dès cinq heures, elle est là. Elle trouve l'appartement charmant avec tous ces dessins. Bientôt, elle s'abandonne à lui.

Pendant trois semaines elle lui rend visite le matin ou le soir, jusqu'au jour où la concierge se moque d'elle et la traite de fille de mauvaise vie. Elle a si peur et si honte [2] qu'elle refuse de remettre les pieds dans cet immeuble habité par des gens si pauvres et si désagréables. Heureusement, elle a une autre idée qu'elle ne veut pas expliquer à Duroy. Elle lui dit :

---

1. Coller : faire tenir au moyen de colle ; on colle des photos sur du papier, des timbres sur une lettre.
2. Avoir honte : être malheureux à cause d'une action ou d'une pensée qu'on ne peut avouer.

Clotilde de Marelle et Bel-Ami s'embrassent longuement.

– Attends donc demain, je t'enverrai un télégramme, tu verras.

En effet, le lendemain, Duroy reçoit un télégramme : « Viens au 127, rue de Constantinople, à l'appartement au nom de M. Duroy. » Elle a loué un petit logement ! Duroy l'y retrouve. Elle est ravie :

– Est-ce gentil ici ! N'est-ce pas agréable ?

Duroy, lui, est inquiet ; il se demande comment il va se débrouiller pour payer le loyer. Il n'ose pas en parler. Il se décide quand même :

– À qui faut-il payer ?

Elle lui sourit :

– J'ai déjà tout payé mon chéri ! C'est moi qui veut faire cette folie. Tu ne me dois rien.

À la fin, elle est si gentille avec lui, elle lui dit des choses si tendres qu'il finit par accepter. Au fond, il trouve cela juste.

Quelques jours plus tard, il reçoit un autre télégramme l'informant qu'elle ne sera pas libre pendant une semaine parce que son mari vient de rentrer de voyage. Duroy est étonné : il avait oublié l'existence du mari ! Il aurait voulu le connaître, voir sa tête.

Dès le départ du mari, ils se retrouvent avec joie, s'aiment avec passion. Duroy, qui vient d'avoir son salaire, est heureux à l'idée de pouvoir enfin lui offrir à dîner. Elle a une envie bizarre : elle veut aller dans un endroit pauvre où mangent des ouvriers, des employés, des gens sans fortune. Ils vont donc dans un restaurant horrible. On leur sert un mauvais repas. Tous regardent Clotilde de Marelle : ici, il n'y a pas de femmes. Les occupants du lieu sont laids, certains crachent sur le sol, les mauvaises odeurs prennent le nez, la table et les chaises sont sales. Pourtant Clotilde s'amuse. Elle avoue à Duroy qu'elle adore ces ambiances.

Maintenant, ils passent leurs soirées dans ces endroits plein de mystère et de danger où s'amuse un peuple d'ouvriers, de petits employés et de soldats à la recherche de filles faciles. Clotilde s'habille comme une concierge en croyant que personne ne la remarque. Hélas ! Tous voient briller ses bijoux qu'elle a oublié, un peu stupidement, d'enlever.

Quelquefois Duroy a peur ; seule Clotilde s'amuse comme une enfant. Elle voudrait que Duroy se batte pour elle avec un autre homme. Heureusement, cela n'arrive pas.

Bientôt, à force de payer toutes ces folies, Duroy se retrouve sans un sou, dans la misère la plus complète. Pourtant il a emprunté de tous les côtés : à Jacques Rival, à Forestier, à la caisse du journal et même au secrétaire du directeur. Mais tout a été dépensé et il n'a même plus de quoi dîner. Le soir venu, il retrouve Clotilde qui, bien sûr, veut sortir. Duroy refuse net, il dit qu'il préfère rester dîner dans leur appartement. Clotilde se met en colère :

– Non, je veux sortir, la lune est belle, si tu ne viens pas je pars toute seule !

Il sent que le moment est grave, qu'il faut lui avouer sa pauvre situation. Mais il ne peut pas : il a bien trop honte. Quand il voit qu'elle se dirige vers la porte, il crie :

– Arrête, arrête-toi ! J'ai honte, mais je vais tout te dire ! Je n'ai plus un sou ! Je suis pauvre, je n'ai même pas déjeuné aujourd'hui !

Et, tout rouge, il lui montre combien ses poches sont vides. Il ment en lui disant qu'il a envoyé tout son argent à ses pauvres parents. Elle propose, émue, de lui prêter un peu d'argent, mais il refuse. Enfin elle le serre dans ses bras et lui dit à voix basse des mots d'amour. Après son départ, il veut fumer une cigarette. Surprise !... Dans une de ses poches, il trouve une pièce de vingt francs.

Elle a eu pitié [1] de lui : quelle horreur ! Il se promet de ne pas toucher à cet argent et de le lui rendre dès que possible. Mais le lendemain il meurt de faim et de soif, il ne peut résister et dépense l'argent de Mme de Marelle dans un restaurant. Le soir il n'a plus rien et n'ose dire à Clotilde qu'il ne veut pas de son argent. D'ailleurs elle est charmante et pleine de gentillesses pour lui.

Au matin, c'est dans sa botte qu'il trouve une nouvelle pièce. Comme son salaire est encore loin, il la dépense. Peu à peu, il s'habitue à cette nouvelle situation. Ils ont repris leurs soirées dans les endroits où le peuple se retrouve et s'amuse. Il a fini par faire taire sa conscience en se disant qu'après tout il est juste qu'elle paye pour ces sorties qui ne font plaisir qu'à elle seule. Il espère lui rendre tout son argent d'un coup, quand son mois lui sera payé. Un soir, elle veut aller aux Folies-Bergère. Il craint de rencontrer Rachel, la grosse brune, mais il n'ose refuser. Rachel est là... Elle l'aperçoit dans la foule, au milieu de la fumée. Elle s'approche et lui dit d'un air moqueur :

– Comment vas-tu mon grand ?

Duroy ne répond pas et regarde d'un autre côté. Elle reprend :

– Je te parle, serais-tu devenu sourd ?

Duroy ne répond toujours pas.

Alors elle se met à crier comme une folle :

– Ah, tu fais le fier !... Tu te moques de moi !... Pour qui te prends-tu ? Attends un peu !

---

1. Avoir pitié : sentiment qu'on éprouve devant des gens très malheureux.

Déjà Duroy et Clotilde ont pris la fuite. Rachel se met à crier encore plus fort :

– Arrêtez-la ! Arrêtez cette dame ! Elle m'a pris mon amant !

Tous les gens se retournent en riant. Certains, par plaisanterie, essayent de toucher Clotilde. C'est horrible ! Enfin ils sont dehors. Ils se jettent dans un fiacre et Clotilde se met à pleurer. Duroy, ennuyé, veut quand même donner des explications :

– J'ai connu cette femme, c'est vrai, il y a longtemps...

Alors Clotilde ne peut se retenir davantage :

– Espèce de goujat* ! Tu m'as trahie ! Tu payes cette fille avec mon argent ! Oui, avec mon argent ! Je te déteste !

Elle fait arrêter le fiacre et descend en criant des insultes [1]. Un voyou et d'autres personnes qui ont vu la scène éclatent de rire. Duroy s'enfonce dans la voiture qui repart sous les cris de Clotilde et les moqueries du voyou.

---

1. Insulter, crier des insultes : dire des paroles violentes et méchantes.

*C*hapitre VI

Le matin, quand Duroy se réveille, il décide de rendre son argent à Clotilde. Peut-être que Forestier lui viendra en aide ? Hélas, Forestier se moque de lui et refuse. Il lui donne même des travaux inutiles et ennuyeux à faire. Dans un moment de colère, il lui dit :

– Ce que tu peux être bête, mon pauvre ami !...

Duroy est furieux et ne pense plus qu'à une chose : se venger. Puisque Forestier est si désagréable avec lui, il va lui prendre sa femme !

Quelques jours plus tard, quand Duroy rend visite à Mme Forestier, elle le reçoit avec ces mots :

– Bonjour, Bel-Ami !

Il croit recevoir une gifle. Elle le rassure avec un sourire, puis elle ajoute :

– C'est Mme de Marelle qui m'a appris ce nouveau nom ; vous la voyez beaucoup et vous m'oubliez... Quel dommage !

Duroy la regarde, admire ses fins cheveux blonds. Il pense : « Elle est bien plus jolie que Clotilde, il faut que je tente ma chance. » Alors, il se lance :

– Je ne venais pas vous voir parce que j'avais peur de ne pas pouvoir cacher mes sentiments ; oui !... Je vous aime !

Elle lui dit doucement :

– Mon ami, ne soyez pas amoureux de moi. Vous n'avez aucune chance. Vous arrivez trop tard. Alors soyons bons amis, de très bons amis... Tenez... Laissez-moi vous donner un bon conseil, un conseil d'amie.

Madeleine Forestier lui dit doucement :
– Ne soyez pas amoureux de moi. Vous n'avez aucune chance.

Duroy comprend tout de suite qu'il faut accepter, ne rien vouloir de plus pour le moment. Il lui serre les mains sans rien dire.

– Voilà, Bel-Ami, vous plaisez à Mme Walter. C'est une honnête femme*. Allez la voir. Montrez-vous très aimable. Qui sait, peut-être cela vous aidera dans votre travail?

Duroy lui sourit, la remercie de son conseil et part en disant :

– J'aimerais que vous soyez veuve[1] !

Duroy sait que la femme de son directeur reçoit ses amis tous les samedis après-midi. D'abord il lui envoie un cadeau : des poires de son pays. Le samedi suivant il se présente chez elle.

C'est un immeuble qui respire la richesse, avec de nombreux domestiques et de beaux meubles. Mme Walter lui sourit dès qu'elle l'aperçoit. Elle le fait asseoir parmi quelques amies qui prennent le thé. Ces dames bavardent de choses sans aucun intérêt : du temps qu'il fait, des écrivains à la mode, du Maroc, de la politique. Duroy ne dit rien. Il observe Mme Walter. Il la trouve un peu grosse, encore assez belle. Elle a un air plein de bonté et de gentillesse pour ceux qui l'entourent. Duroy se moque des écrivains. Il dit que ceux qui ont du succès et reçoivent la Légion d'honneur [2] sont ceux qui vont bientôt mourir... Les dames, d'abord surprises, se mettent à rire. Duroy peut bientôt s'en aller : il a fait bonne impression ! En partant, il entend une dame demander :

– Qui est ce jeune homme ?

---

1. Veuve : femme dont le mari est mort.
2. Légion d'honneur : décoration qui récompense quelqu'un des services importants qu'il a rendus à l'État et à la nation.

Duroy observe Mme Walter. Il la trouve encore assez belle.

Et Mme Walter répond :

– Pour l'instant, ce n'est qu'un petit journaliste, mais je suis sûre qu'il ira loin.

Cette visite a été utile. La semaine lui apporte deux bonnes nouvelles : une invitation à dîner par son directeur et la place de « chef des échos* » au journal, un poste important. Duroy a maintenant quelques reporters sous ses ordres. Les échos réunissent les petites nouvelles de la vie de tous les jours des gens riches, des hommes d'affaires. Dans sa rubrique* c'est lui qui choisit la place de chaque article, c'est lui qui décide de ce qui est vrai et faux, de ce qui est bon à montrer et de ce qu'on doit cacher. Il fallait à la direction de cette rubrique un homme intelligent. Le journal fonctionne grâce aux relations de Walter dans la politique et dans le milieu de la banque et du commerce. Jacques Rival s'occupe de l'actualité et Norbert de Varenne des articles parlant des livres. Grâce à son nouveau poste, Duroy a un meilleur salaire. Cependant, après avoir réfléchi, il remet à plus tard le paiement de ses dettes [1] à Mme de Marelle. Il s'installe dans son nouveau bureau et devient très fort au bilboquet. Il n'y a rien de mieux que le bilboquet pour être admiré au journal.

Puis vient le grand soir, le soir tant attendu du dîner chez son directeur. Il a mis sa plus belle tenue.

Chez le patron* il y a un journaliste important de *la Vie française*, Laroche-Mathieu, un homme dont on dit tout bas qu'il sera un jour ministre. Il y a Norbert de Varenne et Jacques Rival, toujours ensemble ces deux-là... Mme Walter lui présente ses deux filles, l'une laide et l'autre jolie.

On entend Forestier qui n'arrête pas de tousser et de répéter :

– Il faut que j'aille dans le Midi !

Walter montre ses tableaux à Duroy en lui expliquant qu'il les achète à bas prix à de pauvres peintres en espérant qu'ils seront un jour connus. Pendant qu'ils regardent le dessin d'un chat gris, tout à coup, Duroy reconnaît derrière lui la voix de Mme de Marelle. Que faire ? Il n'ose pas se retourner, il a peur qu'elle refuse de le saluer.

Il sent une main légère sur son épaule en même temps qu'il entend ces mots :

– Hé bien, Bel-Ami, vous ne me reconnaissez plus ? Vos nouvelles fonctions vous ont-elles fait oublier votre amie ? Je ne vous vois plus.

Avant qu'il ne trouve une réponse, les voilà séparés par Mme Forestier qui veut bavarder avec Duroy. Le moment est venu de passer à table.

---

1. Dettes : argent que l'on a emprunté et qu'il faut rendre.

Le dîner est gai et, pour Duroy, tout se passe sous la table : le petit pied de Clotilde est venu toucher sa jambe. Ils se regardent avec tendresse et n'écoutent plus rien des conversations. Avant de quitter la table, tout doucement, sans que personne ne remarque rien, elle lui demande de venir lui rendre visite le lendemain. Il décide de rentrer avec Norbert de Varenne, le vieux poète.

Paris est désert, la nuit est froide, les étoiles paraissent plus hautes que d'habitude. Duroy demande :

– Ne trouvez-vous pas que Laroche-Mathieu a l'air intelligent ?

– Non. C'est un homme, comme presque tous les autres, qui vit entre deux murs : l'argent et la politique.

Dans le silence, Norbert de Varenne parle d'une voix claire et triste. Il a l'humeur noire et rêve tout haut.

– La vie est pareille à une montagne. Tant que l'on monte tout va bien, on regarde vers le ciel, on ne voit rien d'autre, on est comme vous : jeune et la tête remplie d'espoirs, heureux. Quand on est arrivé tout en haut, on se retourne et, fini de rire. On n'attend plus rien de la vie... que la mort. Oui, la mort est en moi, elle m'habite ; elle a blanchi mes cheveux, elle a pris mes muscles, mes dents sont devenues noires et tout mon corps me fait souffrir. La mort me détruit petit à petit, chaque pas me rapproche d'elle. Rien ne m'intéresse plus, ni l'argent, ni les femmes, ni le pouvoir. Je ne peux rien faire contre elle, tout me fait penser à elle : les petits animaux blessés sur la route, les feuilles qui tombent, le poil blanc aperçu dans la barbe d'un ami. Toutes ces choses me disent : « la voilà ! ». Et je crois qu'on ne revient jamais sur terre, sous aucune forme que ce soit. Je ne crois à aucune religion, elles nous mentent. La mort seule est certaine.

Après un long silence il se tourne vers Duroy :

– Pensez à tout cela ! Pensez-y souvent et vous verrez l'existence d'une autre façon... Vous comprendrez combien nos petits problèmes ont peu d'importance. Peut-être aussi que vous commencerez à souffrir. Vous appellerez à l'aide, pour être sauvé, aimé... Personne ne viendra. Dès que nous pensons, dès que nous réfléchissons vraiment, alors nous souffrons. Seuls les idiots ne souffrent pas. Moi, je n'ai rien, aucune famille, aucun Dieu. Je n'ai qu'une chose : la poésie*. Un bon conseil : mariez-vous. Rien n'est plus horrible que d'être seul. Comme cela doit être agréable d'avoir des enfants ! Enfin me voici arrivé, bonsoir ! Oubliez mes paroles de vieux ! Profitez de votre jeunesse ! Adieu !

Duroy se retrouve seul, attristé par les paroles du poète. Et puis il pense à Mme de Marelle qu'il va voir le lendemain et cela lui rend toute sa bonne humeur. Décidément, tout lui sourit.

Le matin suivant, Duroy se promène au Bois. Le printemps est magnifique. Il y a beaucoup de monde, des gens riches et célèbres. Duroy, par son métier, les connaît presque tous. Il s'amuse à se rappeler ceux qui trichent au jeu, ceux qui vivent grâce à l'argent de leur femme ou de leur maîtresse*, ceux qui ont des dettes, ceux qui ont volé, ceux dont la fortune est un mystère. Tous ont fière allure. Duroy rit en lui-même : « Ah ! c'est du joli, espèces de menteurs ! » Il va chez Clotilde qui le reçoit comme s'ils ne s'étaient jamais disputés. Elle l'invite à dîner : ce sera l'occasion de lui présenter son mari. Les Forestier seront également présents.

C'est ainsi qu'il rencontre M. de Marelle, un grand homme à barbe blanche, à l'air grave, distingué et amical. Tout en discutant, Duroy pense : « Toi, je t'ai pris ta femme, mon pauvre vieux. » Il sent en lui cette joie du voleur qui a réussi son coup, une joie méchante et délicieuse. Mme de Marelle se montre tranquille et gaie. Elle trouve cette rencontre tout à fait normale. Les Forestier arrivent. Charles a beaucoup maigri et n'arrête pas de tousser. Son médecin lui a ordonné de partir à Cannes. Ils ne restent pas longtemps. Dès qu'ils sont partis, Duroy dit :

– Charles est perdu, il ne fera pas de vieux os !

Mme de Marelle approuve :

– Hé oui ! Il a eu beaucoup de chance de trouver une femme intelligente qui a tout fait pour lui. Elle connaît tous les gens importants, elle a ce qu'elle veut quand elle veut ! Voilà une femme étonnante et utile pour un homme qui veut réussir.

La place va être libre : Duroy se sent plein d'espoir.

Avant leur départ, il va rendre visite aux Forestier. Charles est couché et lui donne des conseils pour son travail. Près de la porte, avant de sortir, Duroy glisse à Mme Forestier :

– Nous sommes amis... n'hésitez pas à faire appel à moi si ça va mal.

Dans l'escalier il rencontre le comte de Vaudrec qui a l'air triste... Peut-être à cause du départ des Forestier ?... Il salue Duroy assez froidement.

Chapitre VII

Depuis que Charles Forestier est parti, tout va bien pour Duroy. Au journal il a pris de plus en plus d'importance. Il commence même à s'occuper d'articles politiques. Il n'a qu'un souci : un petit journal, la Plume, n'arrête pas de se moquer de lui, de dire que tout ce qu'il écrit dans ses échos est faux et qu'il ne fait ses articles que pour protéger des ministres amis de son patron. Tout simplement, on laisse entendre qu'il toucherait de l'argent. Chaque jour il y a un nouvel article désagréable pour lui, écrit par un journaliste inconnu de la Plume. En effet, les articles ne sont jamais signés. Jacques Rival, homme habitué à se battre, conseille à Duroy d'agir rapidement avant que l'affaire ne devienne trop importante et que le patron n'en soit mécontent. Duroy écrit donc une réponse où il demande au journaliste inconnu de dire son nom et d'arrêter de publier* des mensonges et de fausses accusations [1]. Il se demande qui peut bien être ce journaliste qui l'attaque [2] de façon si brutale et quelle jalousie le pousse à agir ainsi...

Il l'apprend dès le lendemain : le journaliste de la Plume a signé un nouvel article où il continue à l'insulter, à se moquer de lui. C'est un certain Louis de Langremont. Duroy va voir Rival qui n'hésite pas une minute :

– Mon ami, il faut se battre ! Tirez-vous au pistolet* ?

---

1. Dire des accusations : dire des paroles méchantes, mauvaises sur quelqu'un. Lorsqu'on indique le coupable d'un crime, on l'accuse.
2. Attaquer : essayer de créer des ennuis à quelqu'un.

Au journal la Vie française, *Duroy a pris de plus en plus d'importance.*

– Un peu, répond Duroy.

– Très bien, voici des pistolets, des balles, descendez dans ma cave et entraînez-vous jusqu'à midi. Je viendrai vous donner des nouvelles.

Duroy se retrouve seul dans la cave, il tire quelques coups et s'assoit. Il se sent comme dans une prison. Il se met à réfléchir. Cette affaire est idiote, il n'y gagnera rien. Après s'être battu, un voleur reste un voleur et un honnête homme reste honnête.

Rival ne tarde pas à revenir. Il a vu Langremont. Ils se battront le lendemain, au lever du jour, dans un bois. Tout cela s'est fait sans qu'il dise un mot pour accepter ou refuser. Maintenant il n'a plus qu'une seule idée en tête : «Demain je me bats en duel*.» Pourtant, il déjeune et travaille comme d'habitude. On le trouve courageux.

Le soir, impossible de s'endormir. Toutes les cinq minutes il se lève pour boire. Son cœur bat follement, il a du mal à respirer. Il se demande : «Aurais-je peur ?» Non, bien sûr, il n'a pas peur puisqu'il est d'accord pour aller sur le terrain. Et si demain il tremblait ? Et si demain il tombait ? Ah, ce serait trop ridicule. Il se regarde dans un miroir et a du mal à se reconnaître : il est blanc, ses yeux sont énormes [1]. La pensée de la mort entre en lui comme une balle.

Il n'arrive pas à écrire à ses parents : ses mains tremblent trop. Il saisit une bouteille d'alcool et se met à boire... Il boit presque la moitié de la bouteille et se sent mieux. Déjà, le jour se lève. Il fait un froid horrible. Rival arrive avec un ami journaliste : ce sont ses deux témoins*. Il y a aussi un médecin. Duroy les rassure, leur dit qu'il est calme, qu'il n'a besoin de rien. Dans la voiture, Rival explique à Duroy comment il doit faire. Il doit bien lever le bras et tirer juste au moment où l'on dit : «Trois !» Duroy se répète ces conseils comme un enfant apprend sa leçon.

Tous se retrouvent dans un grand champ. Le sol est gelé et dur sous les pieds. Il aperçoit son adversaire*, un petit homme chauve, accompagné lui aussi de ses deux témoins. Duroy se répète : «Il faut que je lève le bras et que je tire avant qu'on ait compté jusqu'à trois.» Dans le silence, on entend une voix :

– Êtes-vous prêts ?

---

1. Énorme : très grand et très gros.

Georges crie :

– Oui.

Et la voix ordonne :

– Feu !

Alors il n'écoute plus rien, il ne s'aperçoit de rien, il n'entend rien, il sent simplement qu'il lève le bras et que son doigt appuie sur la gâchette. Il voit un peu de fumée autour de son pistolet et un autre petit nuage blanc au bout du pistolet de son adversaire. Ils ont tiré. C'est fini. On le touche, on l'interroge. Non, il n'est pas blessé. Langremont, lui non plus, n'est pas atteint. Quel bonheur ! Il est tellement heureux qu'il est prêt à se battre contre une armée entière.

Il sent qu'il lève le bras et que son doigt appuie sur la gâchette.

Le soir il fête son duel dans quelques grands cafés où tous le félicitent. M. Walter lui serre la main et le remercie chaleureusement d'avoir défendu le journal. À la nuit tombée, il retrouve Clotilde qui ne cherche pas à cacher son admiration pour son courage. Elle est toute remplie d'amour pour lui. Duroy en profite : il lui demande s'il peut garder l'appartement à son nom et l'habiter. Elle accepte en échange d'une promesse : qu'il ne la trompe jamais. Sans hésiter, il promet.

Chapitre VIII

Avec son duel, Duroy est devenu l'un des journalistes les plus célèbres de *la Vie française*. Clotilde vient le voir souvent. Quelquefois ils dînent avec le mari, qui apprécie Duroy. Il peut parler d'agriculture avec lui. Laurine s'endort sur les genoux de son père ou sur ceux de Bel-Ami. Une nuit, il trouve sous sa porte un télégramme de Cannes. Au nom de leur amitié, Madeleine Forestier lui demande de les rejoindre. Charles est mourant. Le malheureux n'a pas de famille. Duroy pourra l'aider à passer ses derniers moments sur terre. Le patron le laisse partir en lui disant de revenir le plus tôt possible. Au journal, on ne peut plus se passer de lui.

Le lendemain, il est à Cannes. Mme Forestier lui tend les mains et le remercie d'être venu. Elle lui explique que Charles va mourir d'un jour à l'autre. Il ne lui laisse plus un moment de repos. Ils montent dans sa chambre. Par la fenêtre, on aperçoit le soleil se coucher sur la mer, cela donne une lumière rouge, d'une couleur proche de celle du sang. Duroy a bien du mal à reconnaître son ami. Forestier lui dit en soufflant avec peine :

– Merci d'être venu me voir mourir.

Duroy lui répond en faisant semblant[1] de rire :

– Mais non, mais non ! Je suis juste venu te faire une petite visite.

Pendant un long moment c'est le silence ; puis Forestier demande à sa femme d'ouvrir un peu la

---

1. Faire semblant : faire croire, donner l'illusion de...

fenêtre. Deux minutes après, d'un air furieux, il lui demande de la refermer. Dans cette chambre l'ambiance est horrible. Forestier ne peut s'empêcher de parler de sa mort :

– Plus jamais je ne ferai d'articles, plus jamais je ne me promènerai en voiture comme j'aimais tant le faire. Bientôt je n'entendrai plus rien, ni le bruit des assiettes, ni celui des verres... Plus rien. Et tout continuera sans moi.

On sent que ses pensées lui font peur et qu'il est en train de vivre quelque chose de trop dur pour lui. Maintenant Duroy comprend les paroles du vieux poète, Norbert de Varenne.

Dans cette pièce il sent l'affreuse présence de la mort. On pourrait presque la toucher. Duroy voudrait retourner à Paris, fuir cette pièce. On dîne bien vite et Duroy monte dans sa chambre.

Le lendemain, avant l'arrivée du médecin, Forestier a une toux plus forte que d'habitude. Quand le médecin arrive, il étouffe. Le médecin se penche sur le malade et dit à Duroy :

– Je ne peux rien faire, c'est la fin. Allez chercher un prêtre.

Le jeune homme part et trouve un vieux curé. Quand il voit entrer l'homme d'Église, Forestier a une expression de peur, comme s'il sentait le souffle de la mort.

Le prêtre le met en confiance, le rassure et finit par lui faire dire ses dernières prières. Après le départ du prêtre, Duroy et la jeune femme reviennent près du malade. Forestier crie à sa femme :

– Sauve-moi !... Sauve-moi !... Je ne veux pas... Je ne veux pas mourir...

Il pleure comme un petit enfant, de grosses larmes descendent sur ses joues, ses mains tremblent, se soulèvent, retombent. Sa femme essaie de le calmer :

– Ce n'est rien... Demain tu iras bien mieux... Tu es juste un peu fatigué...

Et l'autre crie encore :

– À l'aide, mon Dieu... Je ne veux pas...

Le temps passe. Le malade ne bouge presque plus, seules ses mains continuent à faire des gestes inutiles. Duroy est près de s'endormir quand il voit les deux yeux de Forestier se fermer comme deux étoiles qui s'arrêtent de briller. Quelques gouttes de sang apparaissent aux coins de sa bouche, ses mains ne bougent plus. Il a fini de respirer.

Le premier moment d'émotion passé, on s'occupe de tous les soins dont un mort a besoin. Le jeune homme et la jeune femme restent près du corps sans vie. Duroy pense : « C'était mon ami... Il a vécu, mangé, ri, aimé, espéré comme tous, et c'est fini, pour toujours ! Ah, une vie ! Rien du tout ! On voudrait vivre toujours et, comme les animaux, les plantes, les étoiles, on meurt et on ne revient jamais ! Mais pourquoi avoir peur ? J'ai de nombreuses années devant moi... Et puis... Comme cette femme à côté de moi est jolie ! Qui sait ?... Oui, qui sait ? Peut-être que j'ai une chance à présent. Après tout c'est elle qui m'a demandé de venir !... Pourquoi ne pas essayer de lui plaire !... Comme je serais bien avec elle, comme je serais fort ! Elle me trouve sympathique. Mais il faut aller vite, ne pas repartir sans connaître ses intentions. Ne pas laisser quelqu'un d'autre profiter de la situation. »

Le silence de la chambre est profond, on n'entend que le bruit de la pendule. Duroy se lance :

– Vous allez être bien triste et bien seule, c'est un coup dur... Vous pouvez compter sur moi.

Et il serre la main qu'elle lui a donnée.

Charles Forestier va mourir d'un jour à l'autre.

Georges Duroy et Madeleine Forestier restent silencieux près du corps sans vie.

– Vous avez raison, vous êtes bon. Je serai seule mais je serai courageuse.

Ils ouvrent la fenêtre et se penchent au-dehors pour mieux respirer. Duroy se remet à parler :

– Voilà, je n'ai pas encore de fortune mais j'ai bon espoir... Je n'ai qu'un désir : épouser une femme comme vous. Mais ne dites rien. Ce n'est pas l'endroit ni le moment. À Paris, dans quelque temps, vous me ferez signe.

Ils reviennent s'asseoir près du mort et, de nouveau, le silence s'installe. Peu à peu ils s'endorment sur leur siège. Duroy se dit qu'il serait mieux dans un lit...

La lumière du jour les réveille. Ils sont étonnés de voir comme la barbe de Charles a continué à pousser. Ils vont faire quelques pas dans le jardin. D'une voix basse et sérieuse, Mme Forestier lâche ces mots :

– J'ai bien réfléchi à ce que vous m'avez proposé. Je ne vous dirai aujourd'hui ni oui ni non. Nous attendrons, nous verrons. Je veux que vous sachiez comment je vois le mariage : ce n'est pas une prison ; au contraire, chacun doit être libre d'aller où il veut, quand il veut et sans rendre de comptes. C'est une association [1] où la femme est l'égale de l'homme. Ce sont mes idées, même si ce ne sont pas celles de tout le monde.

Le lendemain, après l'enterrement de Forestier, Madeleine accompagne Duroy à la gare. Une fois monté dans le train, Duroy envoie un baiser à la jeune femme. D'un geste hésitant, elle le lui renvoie.

---

1. Association : quand deux ou plusieurs personnes se mettent ensemble pour faire un travail.

Chapitre IX

Georges Duroy a retrouvé ses vieilles habitudes. Il vit d'une façon sage et tranquille. Mais il se prépare à un changement d'existence : il est bien décidé à utiliser tous les moyens pour plaire à Mme Forestier. En attendant, il voit tous les jours Mme de Marelle. Enfin Mme Forestier est de retour et lui envoie un télégramme. Il court chez elle. En souriant, ils se regardent au fond des yeux. Elle le remercie encore d'être venu à Cannes dans une situation si difficile. Elle lui avoue que l'ambiance du journalisme lui manque. Il sent qu'elle lui donne une chance. Il la saisit :

– Pourquoi ne pas continuer à faire ce métier en vivant près de moi... avec moi ?

Elle devient sérieuse et dit tout bas :

– Ne parlons pas encore de ça.

Il devine qu'elle accepte. Il tombe à genoux en disant :

– Merci, merci, comme je vous aime !

Elle s'éloigne de lui et dit :

– Je ne suis pas encore décidée. Je crois que ce sera « oui ». Pour l'instant, ne dites rien à personne, gardez le secret.

L'été et l'automne passent, ils continuent à se voir, mais rarement. Un soir elle lui dit :

– Prévenez Mme de Marelle, je préviendrai les Walter, nous nous marierons le 10 mai, le jour de mon anniversaire. Mais que font vos parents ?...

Duroy hésite et finalement décide de ne rien cacher :

– Je ne rougis pas d'eux, mais ce sont de pauvres gens très simples, des agriculteurs.

Elle lui sourit avec un air plein de bonté :

– J'aimerais les connaître. Moi, je n'ai personne. Il y a autre chose dont j'aimerais vous parler. Je trouve que vous devriez séparer votre nom en deux et ajouter le nom de votre pays. Cela vous rendrait noble [1] facilement. Voyons, vous venez de Canteleu je crois... En changeant un peu pour que ça sonne bien, ça ferait : Du Roy du Cantel. Mme Du Roy du Cantel, formidable !

Duroy accepte, il est prêt à tout pour lui faire plaisir.

À présent, il se sent joyeux à l'idée de s'appeler Du Roy du Cantel. Il marche comme doit marcher un noble, la moustache en avant. Il rentre chez lui et signe un article : D. du Cantel. Il va voir Mme de Marelle, inquiet et ému à l'idée de lui annoncer son futur mariage. Elle se précipite vers lui, mais il recule, il faut faire vite :

– Écoute, je t'aime vraiment du fond du cœur, mais je vais te faire du chagrin : je vais me marier. Je suis seul, sans argent et il me faut quelqu'un près de moi. J'ai trouvé une aide, une amie... Si tu n'avais pas été mariée... Ah ! quelquefois j'ai eu envie de tuer ton mari...

Elle s'est mise à pleurer, avec de grosses larmes. Il lui dit tout bas :

– Ne pleure pas ma petite Clotilde. Ne pleure pas... Tu me fais mal...

Alors elle n'y tient plus et demande :

– Qui est-ce ?

Il laisse tomber le nom comme une pierre :

– Madeleine Forestier.

Elle tremble mais réussit à se lever et, en le regardant de haut en bas, elle a la force d'ajouter :

---

1. Nobles : les gens qui, par leur naissance, appartiennent aux classes supérieures de la société.

– Tu as bien choisi... Je n'ai plus rien à te dire.

La porte se ferme. Il se sent libéré d'un poids énorme.

Le 10 mai, les deux fiancés se sont mariés à la mairie, avec leurs seuls témoins. Ils n'ont invité personne, il n'y a pas de fête. Le soir, ils prennent le train en direction de la Normandie. Par la fenêtre du wagon [1] ils admirent le paysage charmant des environs de Paris. Duroy tient la main de sa femme, il a envie de la renverser sur son siège, mais il n'ose pas. Il essaie de l'interroger sur Forestier mais elle ne désire pas en parler. À un moment, saisi d'impatience, il veut la prendre dans ses bras. Elle le repousse en lui disant :

– Mais arrêtez ! Nous ne sommes pas des enfants, nous pouvons attendre d'être arrivés...

Et elle explique avec précision ce qu'ils feront à leur retour. Duroy prendra les fonctions et le salaire de Forestier. Ils habiteront son appartement. Elle a organisé tous les détails concernant l'argent de chacun. Duroy, qui trouve cette discussion ennuyeuse, essaie de plaisanter. Il prend une voix d'enfant et lui fait mille compliments un peu bêtes.

Elle rit en le regardant et, à son tour, elle a envie de le prendre dans ses bras, elle le trouve charmant et elle aimerait le manger comme on mange un fruit mûr. Le jour meurt tout doucement sur la campagne, la nuit gagne du terrain et fait passer un tremblement de mort sur les champs. Ils se rapprochent et Duroy appuie sa joue contre la chaude poitrine de la jeune femme. En se penchant, elle lui offre sa bouche, dans un long et profond baiser. Puis ils restent dans les bras l'un de l'autre. Ils ne bougent plus jusqu'à Rouen. Là, ils

---

1. Wagons : voitures qui forment le train.

rejoignent l'hôtel, où ils ont réservé une chambre donnant sur le port. Au matin, Duroy regarde sa femme comme on regarde un trésor. Puis, très vite, une inquiétude lui vient :

– Mes parents sont de vrais paysans [1]. Nous ne seront pas bien chez eux, ils n'ont que de vieux lits.

Elle le rassure :

– Tu verras, tout ira très bien.

Avant de partir, ils observent les bateaux sur le port. Elle est heureuse et répète :

– Comme c'est beau !

Ils quittent rapidement l'hôtel pour arriver à l'heure du déjeuner chez les vieux. La route est belle, elle suit la Seine. De temps en temps ils font arrêter la voiture pour admirer les toits rouges de la ville dans le brouillard du matin et les fines tours des églises.

Ils arrivent au village des parents de Duroy. Au bout de la rue principale, les deux vieux marchent sans se presser. L'homme est petit et rouge, avec un peu de ventre, vif malgré son âge. La femme, plutôt grande et maigre, a l'air triste, une vraie paysanne, usée au travail depuis l'enfance. Madeleine regarde ces deux pauvres vieux et elle est prise soudain d'un sentiment de tristesse. Eux, ils sont étonnés de voir leur fils si bien habillé avec cette dame si belle et si élégante. Georges embrasse ses parents et dit joyeusement :

– Voici ma femme !

Ils restent là et la regardent avec un air idiot. Enfin le père se décide à l'embrasser, il la trouve à son goût. La mère, au contraire, se sent jalouse de

---

1. Paysan : homme qui vit à la campagne et qui travaille la terre, agriculteur.

toute cette beauté. Pour son fils, elle aurait préféré une bonne paysanne solide et ronde. Tout bas, le père demande à son fils si sa femme est riche.

– Bien sûr, répond Georges.

Ils marchent jusqu'à la maison sans dire un mot. C'est une vieille ferme sans aucun charme. Comme on ne gagne pas assez d'argent à cultiver la terre, ils ont fait de la ferme un restaurant.

Le déjeuner est long, les plats se succèdent, nombreux et solides. Le père Duroy, mis en joie par le cidre [1] et le vin, raconte des histoires pas très propres. Dans la tête de Georges passent de vieux souvenirs de ce pays qu'il est content de retrouver. La mère Duroy garde un air haineux. Pour elle, sa belle-fille n'est qu'une femme des villes, bonne à rien, une paresseuse.

Madeleine a sur les lèvres un sourire poli. Elle avait rêvé de beaux-parents différents, plus gentils, moins bêtes peut-être... Est-ce que les femmes n'espèrent pas toujours autre chose que ce qui est ?... Maintenant des clients entrent pour boire, ils observent la femme de Georges, en riant tout bas et en se poussant du coude. Enfin, les jeunes mariés peuvent aller se promener le long du fleuve. Pendant le repas du soir, les parents se montrent moins aimables encore. Ils ne disent plus rien. Une pauvre lumière jette sur les murs gris les ombres des têtes, avec des nez énormes.

Dès que le dîner est fini, Madeleine sort avec Georges et lui avoue qu'elle ne veut pas rester dans cette maison. Georges est d'accord pour partir dès le lendemain. Sur la route du retour, Madeleine dit en riant à Georges :

---

1. Cidre : boisson faite avec des pommes, très courante en Normandie.

La mère Duroy garde un air haineux. Pour elle, sa belle-fille n'est qu'une femme des villes, une bonne à rien.

– Nous dirons à tout le monde que nous avons passé quelques jours dans le château des Du Roy du Cantel...

Chapitre X

Les Du Roy sont rentrés à Paris et Georges a repris son travail. Ce soir-là, il a acheté des roses pour sa femme. Quand il entre dans le salon, il voit sa femme qui met des roses dans un vase. Elle lui a déjà volé son idée! Le comte de Vaudrec vient dîner. Madeleine embrasse son mari et le remercie avec chaleur.

Le comte ne tarde pas à arriver. Il se montre beaucoup plus amical avec Georges que d'habitude. On sent que la situation a changé. Ils discutent avec un tel plaisir que l'on dirait de vieux amis. Madeleine est ravie et le comte reste très tard. Après son départ, Madeleine annonce :

– Nous avons un sérieux travail à faire ce soir : Laroche-Mathieu, le futur ministre, m'a apporté des nouvelles graves. Nous allons faire un grand article.

Georges s'installe à l'ancienne place de Forestier et mord sa plume [1] là où les dents de l'autre avaient déjà mordu. Madeleine se met à parler et il l'écoute avec attention. Il décide d'écrire non pas un seul article, mais plusieurs, contre le ministère actuel. Elle approuve et commence à dicter un article plein de méchancetés cachées et d'accusations amusantes. De temps en temps, Du Roy ajoute des idées plus profondes.

L'article fait du bruit. M. Walter félicite Du Roy et lui donne la responsabilité du service politique. Du Roy continue ses articles contre le ministère

---

1. Plume : autrefois, instrument qui servait à écrire.

et devient bientôt célèbre. Les hommes politiques le craignent. On lui serre la main avec respect.

Le soir, en rentrant chez lui, il trouve sa femme en grande conversation avec des généraux, des juges, des hommes politiques. Elle a su gagner leur confiance et leur affection. Tous ces gens lui donnent une foule d'informations utiles. Laroche-Mathieu est un de ses fidèles amis. Il dîne chez eux tous les mardis, les lundis étant réservés au comte de Vaudrec. Laroche-Mathieu désire à tout prix faire tomber l'actuel gouvernement pour être ministre dans le prochain. Il est assez aimable et assez intelligent pour réussir. Du Roy l'appuie dans ses articles, non sans espoir pour l'avenir ! Il fait ce qu'aurait fait Forestier. D'ailleurs les collègues de Du Roy sentent si bien que rien n'a changé qu'ils l'appellent Forestier. Il fait semblant de ne pas les entendre. Le patron lui-même a dit que ses articles sont presque aussi bons que ceux de Forestier. Sur son bilboquet on a écrit le nom de Forestier ! Du Roy dit tout haut pour être entendu de ses collègues :

– Il y a des imbéciles et des jaloux ici !

Mais il est blessé. Chaque fois qu'il entend ce nom, il a les oreilles déchirées. Ce nom lui crie :

– C'est ta femme qui fait ton travail comme elle faisait celui de l'autre !

Le souvenir de Charles le poursuit. Sa femme devine bien vite sa jalousie mais elle ne lui en parle pas. Un jour, il trouve dans son bureau la couverture que Charles posait sur ses jambes. Il rit méchamment :

– Cet imbécile avait toujours froid. Il l'a bien montré. Tant mieux pour moi !

Et il embrasse sa femme. Bientôt il n'arrête plus de parler du mort, de le rendre ridicule. C'est sa manière à lui d'exprimer toute sa haine.

Un soir de juin, Du Roy emmène sa femme faire un tour au Bois. Des fiacres passent et repassent dans les sombres et chaudes allées. Georges serre sa femme tout contre lui. L'image de Charles traverse sa pensée, cela l'étonne. Il demande :

– Es-tu venue avec Charles ici ?

– Mais oui, souvent, répond-elle.

Alors il ne peut s'empêcher de dire :

– Dis-donc Made... Tu as bien dû le tromper... Avoue... Après tout, cela aurait été normal et bien mérité. Cet imbécile avait une tête à être trompé !

Elle ne répond pas et il comprend que ce silence avoue tout : cette femme n'a pas été fidèle [1] à son premier mari. Il reste sans bouger, la tête agitée par de sombres idées. « Toutes les femmes sont faciles, il faut s'en servir sans rien donner de soi. Je serais idiot de m'inquiéter. Il vaut mieux s'occuper de fortune et de pouvoir. Chacun pour soi ! » Pour qu'elle ne devine pas ses mauvaises pensées, il l'embrasse tendrement, avec des lèvres glacées...

---

1. Fidèle : qui obéit à un contrat, ici le mariage.

C hapitre XI

En rentrant chez lui, un soir, il entend des voix de femmes : Mme Walter et Clotilde de Marelle sont là. Il serre la main de Clotilde avec force comme s'il voulait lui dire : « Je vous aime toujours. »

– Comment allez-vous Bel-Ami ? lui dit-elle.

Et, se tournant vers Madeleine, elle demande :

– Tu permets que je l'appelle encore Bel-Ami ?

Madeleine répond en souriant légèrement :

– Je permets tout ce que tu voudras.

Mme Walter propose à Du Roy de les accompagner, le jeudi suivant, à une séance d'escrime* chez Jacques Rival. Il accepte. Après une courte conversation, les deux femmes se lèvent, et c'est au tour de Clotilde de serrer très fort la main de Du Roy. Il se sent ému par ce geste. Après leur départ, Madeleine dit à Georges :

– Tu sais que tu plais beaucoup à Mme Walter. Elle me parle de toi avec admiration. Seulement tu n'as aucune chance. C'est une femme très sérieuse et elle croit en Dieu. Je n'ai jamais entendu d'accusations sur sa vie. Si tu n'étais pas mon mari, je te conseillerais de demander la main de sa fille qui est bien jolie.

Du Roy se promet de bien regarder les façons d'agir de Mme Walter avec lui. Le soir, c'est à Clotilde qu'il pense. Il décide d'aller la voir le jour suivant.

Laurine se montre peu aimable : elle est déçue de ne l'avoir pas vu depuis si longtemps. Peutêtre est-elle jalouse, elle aussi ?... Mais Clotilde est charmante, elle lui avoue que, depuis des mois, elle attend son retour.

– Où pourrons-nous nous voir ? demande Du Roy.

– J'ai gardé notre appartement rue de Constantinople, je savais que tu reviendrais, répond Clotilde.

Du Roy lui explique qu'il n'aime pas vraiment sa femme, que c'est juste une amie. Ils se donnent rendez-vous pour le lendemain. Il s'en va heureux et fier d'avoir réussi à reconquérir Clotilde.

Le jeudi suivant, il part chercher Mme Walter pour le spectacle d'escrime. Elle est avec sa fille Suzanne, qui ressemble à une poupée [1] avec ses fins cheveux blonds frisés et ses grands yeux bleus. Le spectacle a lieu dans la cave de Rival et les profits iront à une église qui s'occupe des enfants orphelins [2], une façon adroite de faire de la publicité pour *la Vie française*.

Jacques Rival les fait descendre à la cave. Il y a beaucoup de monde, des ministres, des hommes politiques, de nombreuses femmes qui ont l'impression de faire une bonne action. On a installé des bancs et, tout au bout, une scène couverte de feuilles et de fleurs. Partout on entend :

– Comme c'est joli ! C'est charmant ici !

Il fait une chaleur difficile à supporter. Mme Walter se tient assise près de Georges, debout, qui lui indique de temps en temps les gens connus.

– Mesdames, messieurs, le spectacle commence ! crie Rival de sa voix forte.

Deux maîtres d'armes* apparaissent et commencent à se battre. Des juges placés de chaque côté de la scène essaient de compter les coups portés à l'adversaire. Le public ne voit que deux ombres blanches s'agiter en tendant le bras et l'épée.

---

1. Poupée : jouet d'enfant qui ressemble à une petite fille.
2. Orphelin : enfant qui n'a ni père ni mère.

Mme Walter se tient assise près de Georges. Aucun doute, elle est attirée...

Du Roy raccompagne Mme Walter chez elle. Il remarque comme elle le regarde. Aucun doute, elle est attirée. Il rentre tout joyeux chez lui ; Mme de Marelle l'aime à la folie, et voilà que Mme Walter commence à être séduite... Quel succès ! Madeleine l'attend dans le salon. Elle a des nouvelles très importantes à lui dire. Elle lui explique que la France est sur le point d'envoyer son armée au Maroc. Une affaire d'argent, en vérité, qui permettrait sans doute d'attaquer le gouvernement[1], de le mettre à bas, ce qui donnerait à Laroche-Mathieu la place de ministre des Affaires étrangères. Par jeu et pour l'ennuyer, Du

1. Gouvernement : pouvoir exécutif ; ensemble des ministres qui dirigent le pays.

Roy fait exprès de ne pas la croire. À la fin, elle perd son calme et, pour le blesser, et lui dit :

– Tu es aussi bête que Forestier !

Il sourit et lui répond d'un air insolent :

– Ah oui ! Ce cocu [1] de Forestier ! Tu me l'as avoué !

Elle ne lui répond pas.

Du Roy a trouvé le moyen d'exprimer sa jalousie à sa femme. Désormais il ne parle plus de Forestier qu'en l'appelant : « Ce cocu de Forestier. » Cela l'amuse et en même temps il a l'impression de venger le mort.

Quelques jours plus tard, Madeleine organise un grand dîner avec des gens haut placés, Mme Walter, Mme de Marelle ainsi que Rival et de Varenne. Georges veut se rendre lui-même chez Mme Walter pour l'inviter. Quand elle le voit, elle lui demande d'un air joyeux :

– Quel bon vent vous amène ?

– Aucun bon vent, aucune raison spéciale. J'avais seulement envie de vous voir.

Il dit cela avec sérieux. Elle s'étonne, elle ne comprend pas ou comprend trop bien. Elle lui dit :

– Soyez sérieux ! Arrêtez de faire l'enfant !

Il tombe à ses genoux, il essaie de lui prendre les mains, de la toucher. Il n'arrête pas de répéter :

– Je vous aime depuis que je vous ai vue, comme un fou !

Elle le repousse avec force, il se lève, crie :

– Adieu, adieu !

Il s'enfuit et va passer l'après-midi avec Clotilde.

Le soir même a lieu le grand dîner. Mme Walter

---

1. Cocu : un mari est cocu quand sa femme n'est pas fidèle et le trompe avec un autre homme.

est venue seule, sans son mari. Pendant le repas, Georges observe tour à tour sa femme, Clotilde, dont il admire la petite tête d'oiseau, enfin Mme Walter, à qui il parle de choses sérieuses, tout en pensant qu'il a envie de la séduire* parce que c'est difficile. Elle veut rentrer de bonne heure et il offre de l'accompagner à sa voiture. Elle accepte. Dans la rue il lui demande s'il peut venir la voir, quelquefois, en tête à tête. Comme elle hésite, il la menace : tous les jours il sera devant sa porte, à l'attendre, rien que pour la voir un moment. Elle prend peur et lui dit que, pour lui, elle sera toujours chez elle. Du Roy revient au salon au moment où Clotilde est prête à s'en aller. Elle demande à Madeleine :

– Tu veux bien que Bel-Ami me raccompagne ?

– Bien sûr, répond Madeleine, je ne suis pas jalouse.

Dès qu'elle est seule avec Georges, elle le serre dans ses bras. Le fiacre qui les emporte roule comme un bateau.

– Ça n'est pas aussi bien que rue de Constantinople, dit-elle.

– Oh non ! répond-il

Mais il pense à Mme Walter.

Quand, le lendemain, il arrive à *la Vie française*, il se passe des choses graves. En l'apercevant, le patron s'écrie :

– Quelle chance, voilà Bel-Ami ! Excusez-moi de vous appeler ainsi, je tiens cette habitude de ma femme. Écoutez : l'Espagne est furieuse contre la France à cause de ce qui se passe au Maroc. Le gouvernement est tombé, un autre vient de se former. Laroche-Mathieu est ministre des Affaires étrangères. Nous allons devenir un journal au service du nouveau gouvernement. Je voudrais que vous me fassiez un bon article sur notre politique en Afrique.

Du Roy donne son accord. Il retrouve son premier article sur l'Algérie, le change un peu, ajoute des événements d'actualité et, une heure après, le rend. Le patron, ravi, le félicite.

À son appartement, un télégramme de Mme Walter l'attendait : « Demain à quatre heures, au parc Monceau. »

Il arrive juste à l'heure au rendez-vous. Elle est déjà là. Comme il y a beaucoup de monde, Du Roy propose de prendre un fiacre et donne au cocher l'adresse de l'appartement de la rue de Constantinople. Dans la voiture, elle lui raconte comment elle est tombée amoureuse de lui. Comme il essaie de lui prendre les mains, elle lui fait promettre de ne pas la toucher, de la respecter. Soudain elle se tait : la voiture vient de s'arrêter.

– Où sommes-nous ? dit-elle.

– Dans mon ancien appartement, venez, je ne profiterai pas de l'occasion, je vous le promets. Venez, vite ! On va nous voir !

Dès qu'ils sont entrés, il l'embrasse dans le cou, sur les lèvres, sur les yeux. Elle résiste, essaie de s'enfuir, mais il la serre de plus en plus fort. Elle ne peut s'empêcher de lui rendre ses baisers. Tout d'un coup, vaincue, elle ne bouge plus. Alors, il lui enlève un à un ses vêtements. Elle se cache le visage dans sa robe et il la porte jusqu'au lit. À voix basse elle lui glisse :

– Je n'ai jamais eu d'amant.

« Je m'en fiche », pense-t-il.

Chapitre XII

La Vie française est devenue un des journaux les plus importants du pays, proche du gouvernement. Laroche-Mathieu est le centre du journal. Il souffle à Du Roy ce qu'il faut écrire. Dans l'ombre, M. Walter continue ses affaires secrètes. Tous les hommes politiques les plus haut placés se réunissent de temps en temps chez Madeleine. Laroche-Mathieu y vient à toute heure apporter des informations qu'il dicte soit au mari, soit à la femme. Du Roy se moque des allures fières du ministre. Madeleine lui répète :

– Deviens donc ministre avant de te moquer !

Du Roy répond :

– Il essaie de te plaire, c'est un idiot !

Elle finit par lâcher ces mots :

– Cet homme peut faire notre fortune.

Pour changer de conversation, Du Roy demande des nouvelles du comte de Vaudrec. Elle lui dit qu'il est malade.

Ce matin-là, Laroche-Mathieu l'attend pour déjeuner. Il doit l'informer de la situation de la France au Maroc. Il lui explique comment construire son article : il faut faire croire que la France va envoyer des troupes armées, tout en laissant comprendre que jamais elle ne le fera. Laroche-Mathieu aime faire l'homme intelligent, sûr de lui. Il est fier de sa jeunesse, de sa belle chevelure, de son allure agréable. Il prend congé de Du Roy en lui disant :

– Je compte sur vous cher ami.

Ce même jour, en arrivant au journal, Du Roy trouve un télégramme de Mme Walter :

La Vie française *est devenue un des journaux les plus importants du pays. Dans l'ombre, M. Walter continue ses affaires secrètes.*

« Il faut que je te parle aujourd'hui. C'est grave. Rendez-vous à deux heures rue de Constanti-nople. »

Ça lui déplaît. Depuis six semaines, il essaie, sans réussir, d'arrêter ses relations avec cette femme. Elle veut le voir tous les jours, le suit partout, ne lui laisse pas un instant de liberté. Elle s'est jetée dans cet amour comme on se jette dans une rivière, avec une pierre au cou. De plus, cet amour l'a fait tomber en enfance. Cette femme sage, de quarante ans, devient un peu bête, pousse des cris et rit comme une petite fille. Le plus ridicule, c'est qu'elle l'appelle par des noms idiots comme « mon bijou, mon chat, mon oiseau bleu, mon bébé ». Lui, il a envie de l'appeler « ma vieille ».

Quand il est chez elle, il a envie de partir. Heureusement il y a sa fille Suzanne, une jeune fille très drôle, aimant se moquer de tout le monde. Georges aime rire avec elle.

Cependant, il ne supporte plus la mère et il ne peut plus penser à elle sans colère. Quelquefois il voudrait la frapper et lui crier des insultes. Il ne sait comment lui faire comprendre que tout est fini. Il est obligé de faire attention à cause du mari, son patron. Sa tendresse pour Mme de Marelle, au contraire, a grandi. Tout l'été ils se sont promenés ensemble dans la campagne des environs de Paris. Quand il rentre et qu'il faut dîner avec sa vieille maîtresse, il la déteste. Depuis quelques jours il ne la voit plus. Il a réussi à lui faire comprendre de manière brutale qu'il ne l'aime pas. Le télégramme le surprend.

Il a peur que les deux femmes, Clotilde et Mme Walter, se rencontrent rue de Constantinople. Il faudra vite renvoyer Mme Walter ! Dès qu'elle arrive dans l'appartement, il lui dit avec un air méchant :

– Qu'est-ce que tu me veux encore ?

Elle lui répond avec un air de chienne battue :

– Qu'est-ce que je t'ai fait ? Tu ne sais pas combien je souffre à cause de toi... Il ne fallait pas me prendre pour me traiter ainsi... Il fallait me laisser sage et heureuse.

Il frappe du pied avec violence :

– Arrête cette chanson. Tu étais assez vieille pour savoir ce que tu faisais. Nous nous sommes simplement offert une petite folie. Maintenant c'est fini. Nous ne sommes pas libres, tu as ton mari et moi j'ai ma femme !

– Sois gentil ! Je n'aime que toi !

Elle se met à pleurer.

Il se lève aussitôt en disant :

– Ah ! Tu pleures ! Si c'est pour ce spectacle que tu m'as fait venir, alors, au revoir !

Elle fait un énorme effort pour se calmer :

– Non... Je suis venue pour te donner une nouvelle intéressante... un moyen de gagner beaucoup d'argent !...

Il devient plus doux et s'assoit pour l'écouter. Elle lui explique qu'elle a entendu une conversation secrète entre son mari et le ministre. Il s'agissait d'une très grosse affaire de bourse en rapport avec l'envoi de l'armée française au Maroc. Elle se tient contre lui, elle a senti qu'elle l'intéresse. Elle est prête à tout pour un baiser, un sourire de lui. Il demande :

– Tu es bien sûre ?

– Oh oui !

Il comprend qu'il faut profiter de cette nouvelle et placer de l'argent en bourse. Mais il n'a pas d'argent ! Elle n'hésite pas :

– Je peux t'aider, mon chat, et tu seras bien gentil avec moi... Je te prêterai l'argent... Je le placerai pour toi...

Il commence par refuser, mais elle lui montre qu'il ne court aucun risque et il finit par accepter. Elle commence à l'embrasser, à se serrer contre lui. Il la repousse en disant qu'il a mal à la tête. En réalité, il pense à Clotilde, qui va peut-être arriver. Il veut garder toutes ses forces pour la plus jeune. Mme Walter s'est assise tout contre lui, sa tête repose contre son gilet [1]. Un de ses cheveux se prend dans un bouton. Alors elle a une idée étrange : elle s'arrache quelques cheveux et les

---

1. Gilet : vêtement sans manches, boutonné de haut en bas, qu'on porte sous la veste.

enroule autour de chaque bouton du gilet. «Ainsi, se dit-elle, il portera sur lui quelque chose de moi, il pensera à moi quand il les verra.» Enfin il se lève et lui demande de le quitter : il a un article à écrire. Elle part et bientôt Clotilde arrive. Il lui explique le moyen de gagner de l'argent grâce à ces nouvelles informations pour qu'elle en fasse profiter son mari. Elle s'assoit sur ses genoux pour manger les bonbons qu'il lui a offerts. Elle aussi, comme Mme Walter, elle l'appelle «mon chéri, mon petit, mon chat». Mais, dans sa bouche, ces mots lui paraissent agréables. Les paroles d'amour prennent le goût des lèvres dont elles sortent. Tout à coup elle sent sous ses doigts un cheveu, puis un autre, et encore un autre. Elle les regarde avec surprise, puis horreur, et se met à crier :

– Ce ne sont pas les cheveux de ta femme, ils sont noirs, il y en a des blancs !... Ah ! Tu prends des vieilles femmes ! Tu n'as plus besoin de moi ! Garde l'autre !

Il ne sait quoi dire :

– Mais non... Clo... Reste... Ce doit être la domestique...

Comme il veut la saisir, elle lui lance une gifle, ouvre la porte et s'enfuit.

Il est fou de colère contre Mme Walter. Ah ! Il se vengera ! Il descend se promener sur le boulevard et, devenu plus calme, il pense à tout ce qu'il fera avec l'argent qu'il va gagner. Il n'est pas inquiet de la colère de Clotilde, il sait qu'elle ne durera pas longtemps.

En chemin, l'idée lui vient d'aller voir le comte de Vaudrec. Il se présente chez lui et demande au concierge :

– Comment va M. de Vaudrec ? Je crois qu'il est malade...

– Il va très mal, lui répond l'homme, il est mourant.

Du Roy assure qu'il reviendra et se dépêche de rentrer. Dès qu'il voit sa femme, il lui annonce :

– Vaudrec va mourir.

Elle se lève, cache son visage dans ses mains et se met à pleurer violemment. Puis elle décide d'aller le voir tout de suite et demande à son mari de se coucher sans l'attendre.

Elle revient vers minuit. Elle est toute blanche. Jamais il ne l'a vue si émue. Elle dit :

– Il est mort. Quand je suis arrivée, il avait perdu connaissance.

– Avait-il de la famille ? Il était très riche tout de même...

– Non, il n'avait personne.

Du Roy n'a plus envie de dormir, il pense à tout cet argent de Vaudrec. Madeleine pleure dans son coin ; il veut l'embrasser. Elle le repousse en disant :

– Laisse-moi tranquille ! Je ne suis pas d'humeur à cela...

Chapitre XIII

Du Roy et sa femme sortent de l'église tendue de noir pour la messe d'enterrement [1] du comte de Vaudrec. Georges se met à parler comme s'il pensait tout haut :

– Vraiment c'est bien étonnant qu'il ne nous ait rien laissé !

Elle dit :

– Non, il n'y avait aucune raison, et puis peut-être y a-t-il un testament [2] chez un notaire [3] ?

Du Roy reprend :

– Après tout, nous sommes ses meilleurs amis. Il aurait dû marquer cette amitié, nous laisser un souvenir.

En effet, arrivés chez eux, le domestique donne à Madeleine une enveloppe. Elle l'ouvre et la passe à son mari. C'est une lettre d'un notaire qui demande à Madeleine de se rendre à son bureau. Georges est étonné, on ne parle pas de lui :

– C'est drôle, c'est moi le chef de famille, d'après la loi.

Ils vont chez le notaire, qui lit à Madeleine le testament du comte. Vaudrec y dit que, n'ayant pas de famille, il laisse sa fortune à Madeleine comme signe de son amitié et de son affection. Le notaire les informe que le testament ne peut être accepté sans l'accord de Du Roy. Georges de-

---

1. Messe d'enterrement : dans la religion catholique, cérémonie qui a lieu à l'église avant d'enterrer le mort. La messe est la réunion des croyants et le fondement de la religion catholique.
2. Testament : papier sur lequel un homme qui va mourir indique les personnes à qui il laisse ce qu'il possédait.
3. Notaire : homme de loi qui s'occupe des affaires de famille.

mande quelques jours pour réfléchir. À peine sont-ils rentrés qu'il se met à crier :

– Avoue que tu as été la maîtresse de Vaudrec !... Sinon, il ne t'aurait rien donné !... Il devait me laisser quelque chose à moi, son ami, et non à une femme ! Que va-t-on penser de cet acte ?

Madeleine l'observe, son regard est profond, comme si elle voulait découvrir quelque chose d'inconnu en lui. Elle dit lentement :

– Ce qu'il a fait est normal ; tu ne le connaissais pas depuis assez longtemps pour qu'il te donne toute sa fortune. Cela aurait semblé bizarre. Moi je le connais depuis que je suis enfant. Il a pensé à moi, j'étais sa seule amie. Peut-être m'aimait-il en secret ?... Pour lui tu n'étais rien.

Elle parle tranquillement, naturellement. Il reprend :

– Nous ne pouvons pas accepter. Tout le monde croira que tu as été sa maîtresse. Mon honneur* sera perdu, tous mes collègues seront jaloux et se moqueront de moi.

Madeleine le coupe :

– N'acceptons pas et nous perdons un million. C'est à toi de décider.

Il réfléchit tout haut :

– Vraiment, il aurait dû me laisser la moitié et personne n'aurait rien à dire. Je ne peux pas accepter que tout soit pour toi.

Tout à coup, il a une idée :

– Voilà : ce testament restera secret et nous dirons à tout le monde qu'il a laissé la moitié de sa fortune à chacun de nous. Tu me donneras la moitié et personne ne saura jamais rien ! Les gens se diront : il n'a pas fait de différence.

Elle l'interrompt :

– C'est d'accord, j'ai compris, tu n'as pas besoin de m'expliquer.

Ils retournent donc chez le notaire qui ne fait aucune difficulté et accepte ce qu'ils ont décidé. Les voilà riches tous les deux ! Du Roy offre un bijou à sa femme et s'achète une belle montre sur laquelle il fait inscrire ces quatre lettres : B.G.R.C. pour Baron Georges Du Roy du Cantel. Maintenant qu'il a de l'argent, il est juste qu'il ait aussi un titre de noblesse. Elle sourit : décidément il est habile. Ils passent une soirée très gaie au théâtre, avec Clotilde et son mari. Clotilde est très aimable avec Georges. Elle a déjà oublié sa colère.

Chapitre XIV

Grâce à ses affaires en Bourse, Walter n'est plus le petit marchand juif, le propriétaire d'un journal de moyenne importance. Il est devenu l'un des hommes les plus riches de Paris. Il a acheté à un prince sans le sou [1] un immeuble entier avec tous ses beaux meubles. Pour être encore plus connu, il lui vient une grande idée. Il achète un tableau célèbre montrant Jésus marchant sur l'eau et fait annoncer dans les journaux qu'il donne une grande fête à cette occasion.

Du Roy en est très jaloux. Il s'est cru riche et se trouve bien pauvre à côté de son patron. Il ne voit plus Mme Walter et jette ses lettres au feu. Pourtant elle veut lui donner l'argent qu'elle a placé pour lui. Georges tient à cet argent, mais il a envie de la faire attendre, de se montrer fier.

Laroche-Mathieu, lui aussi, a gagné beaucoup d'argent avec la Bourse. Mais, à cause de son poste de ministre, il est obligé de garder sa fortune secrète. Cependant Du Roy sent l'existence de tout cet or. Tous les jours, Laroche lui dicte des informations, des idées. Laroche est chez les Du Roy comme chez lui, il donne même des ordres aux domestiques. Cela met Georges de mauvaise humeur. Il aurait aimé le mettre dehors, mais il n'en a pas le courage.

Enfin, le jour de la magnifique soirée chez les Walter arrive. Quand Mme Walter aperçoit Du Roy, elle devient toute blanche. Il la salue froidement et s'éloigne. Madeleine reste près d'elle

---

1. Sans le sou : sans argent, pauvre.

M. Walter est devenu l'un des hommes les plus riches de Paris.

Le jour de la magnifique soirée chez les Walter est arrivé.

pour lui dire combien elle trouve la soirée réussie. Georges sent qu'on lui saisit le bras. Une voix jeune et heureuse lui dit :

– Méchant Bel-Ami ! Pourquoi ne vous voit-on plus ?

C'est Suzanne Walter qui le regarde avec ses grands yeux bleus. Il est enchanté de la voir et s'excuse de n'être pas venu depuis longtemps. Elle dit alors d'un air sérieux :

– C'est dommage de ne plus vous voir, nous vous adorons, maman et moi. Quand vous n'êtes pas là je m'ennuie à mourir. Venez je vais vous montrer moi-même *Jésus marchant sur l'eau.*

En les voyant passer, les gens murmurent : « En voilà un joli couple ! Un beau garçon et une belle fille.» Du Roy pense : «J'aurais dû épouser cette fille ! Je me suis marié trop vite avec l'autre. Quelle folie !» Il lui dit :

– Vous êtes riche maintenant, vous allez vous marier. Beaucoup d'hommes vont se présenter, les plus nobles, des princes peut-être !

Elle lui répond en riant :

– Oh non ! Pas de mariage tout de suite !

Ils arrivent au dernier salon, le plus luxueux. Au milieu se trouve un jardin couvert. Au fond d'un bassin plein d'eau, où nagent des poissons de toutes les couleurs, on voit du sable fait avec de l'or fin. Sur les bords, des arbres baignent leurs branches vertes. Et Du Roy se dit : « En épousant cette enfant, c'est moi qui vivrais entouré de ce luxe.» Ils sont maintenant devant le tableau qui fait une tache sombre dans tout ce vert. C'est le travail d'un maître, une œuvre forte qui fait réfléchir et rêver. Ils traversent la, foule pour chercher une coupe de champagne. En passant, il aperçoit sa femme au bras du ministre. Ils sont gais et se regardent les yeux dans les yeux. Il a une envie brutale de se jeter sur eux et de les tuer à coups de poing. Le patron se tient à côté d'une table où l'on a posé les bouteilles de champagne. Il est fou de joie de voir tant de gens haut placés chez lui. Norbert de Varenne, avec son air triste de vieux poète, salue Du Roy en lui disant que tout cet argent que l'on devine partout sent mauvais et que seul le champagne est intéressant. Suzanne le laisse pour aller discuter avec un homme jeune et élégant. Georges le regarde et sent la jalousie monter en lui. En s'éloignant, il tombe nez à nez avec Clotilde. Il lui offre son bras et ils s'enfoncent dans la foule. Clotilde est pleine d'admiration devant la nouvelle fortune des Walter. Ils passent un agréable moment à se moquer de tous les gens qu'ils rencontrent. Ils aperçoivent Laroche et Madeleine qui rient ensemble dans le jardin couvert. Ils n'ont aucune peur de se montrer ensemble. Suzanne a fini par rejoindre Du Roy et Mme de Marelle. Elle emmène Clotilde pour lui faire voir sa chambre : les deux femmes s'en vont d'un pas pressé, elles sont charmantes. Du Roy reste seul. Presque aussitôt une voix dit tout contre son oreille :

– Georges !

C'est Mme Walter. Elle continue tout bas :

– Vous êtes méchant ! Vous me faites souffrir inutilement ! Il faut que je vous parle seule à seul. Retrouvez-moi dans dix minutes dans la pièce du fond... Si vous ne voulez pas, je crie !... Il répond froidement :

– Bien... Dans dix minutes...

Après avoir discuté avec Jacques Rival, il la rejoint dans une pièce éloignée et froide. Dès qu'elle le voit, elle s'écrie :

– Te voilà, tu veux donc me tuer ?...

Il répond sans perdre son calme :

– Si tu fais du bruit, je m'en vais !

– Que t'ai-je fait ?

– Tu as laissé des cheveux sur les boutons de mon gilet et ma femme était furieuse !

Elle continue :

– Ce n'est pas vrai ! Tu dois avoir une maîtresse ! Pourquoi ne viens-tu plus dîner avec moi ? Je souffre de façon affreuse. Tu ne comprends pas que je pense tout le temps à toi ! Que je ne peux pas vivre sans te voir ! Je n'ai plus la force de marcher, je reste des journées entières assise sur une chaise sans rien faire d'autre que de me souvenir de toi !

Du Roy comprend qu'il a devant lui une femme désespérée. Un projet vague naît dans sa tête :

– L'amour, ma chère, ne dure pas toujours. Mais si tu veux, devenons de simples amis et je promets de venir te voir aussi souvent que possible.

Elle accepte et ajoute :

– J'accepterai tout pour te voir.

Elle veut l'embrasser, il la repousse :

– Non, tenons nos promesses !

Elle a apporté un petit paquet qu'elle lui tend ; ce sont les bénéfices* tirés de l'argent qu'elle avait placé pour lui. Il veut refuser. Alors elle menace de jeter l'argent. Il glisse le paquet dans sa poche. Elle tremble de froid.

– Il faut rentrer, tu vas attraper une bronchite !

– Tant mieux, lui répond-elle, j'ai envie de mourir !

La foule a diminué. Suzanne, qui l'attendait, veut danser avec lui. Il l'emmène dans un coin à part et lui dit d'une voix douce :

– Écoutez, vous vous rappelez ce que je vous disais sur votre mariage prochain. Si vous avez confiance en moi, promettez-moi de me dire le nom de tous les hommes qui demanderont votre main. Et pas un mot à vos parents, c'est un secret entre nous deux.

La petite accepte en souriant. Il est temps de partir. Il veut être seul pour réfléchir, il refuse donc d'aller danser avec Suzanne.

Une fois à la maison, Madeleine lui présente une petite boîte noire :

– Devine ce qu'il y a dedans, dit-elle.

Sans se presser, Du Roy ouvre la boîte, aperçoit la croix de la Légion d'honneur. Elle est déçue : il ne montre aucune joie. Madeleine lui dit que c'est Laroche qui s'est occupé de la lui faire avoir.

– Cet homme me doit bien ça, dit Georges en se couchant.

– C'est pourtant rare, à ton âge. Tu n'es jamais content, lui dit-elle.

Le lendemain ils sont invités chez les Walter pour fêter la croix de Georges. Mme Walter, habillée de noir, a un air triste et vieilli. Le dîner n'est pas très gai, on félicite beaucoup le journaliste. Suzanne bavarde sans arrêt. En passant d'une pièce à l'autre, Mme Walter prend Du Roy à part et, en lui enfonçant ses ongles dans le bras, elle lui demande de venir la voir de temps à autre. On va encore une fois admirer le célèbre tableau. Mme Walter dit :

– Regardez Jésus, cet homme me donne le courage et la force. Comme il est beau ! On en a peur et on l'aime !

Suzanne s'écrie soudain :

– Mais il vous ressemble Bel-Ami !

Elle veut qu'il se mette debout à côté du tableau ; et tout le monde tombe d'accord : les deux visages se ressemblent ! Mme Walter reste immobile, regardant son amant à côté de Jésus. Elle est devenue aussi blanche que ses cheveux blancs.

*C*hapitre XV

Pendant le reste de l'hiver, les Du Roy vont souvent chez les Walter. De temps en temps, Georges y dîne seul, Madeleine se dit fatiguée, elle préfère rester à la maison. Plusieurs fois, derrière une porte, dans un coin sombre, Mme Walter a essayé de s'approcher de Du Roy. Chaque fois il l'a repoussée. Georges et Suzanne continuent à se plaire ensemble. Il est bien étonné quand il entend parler du mariage de la jeune fille avec le marquis de Cazolles. Jamais Suzanne ne lui a parlé de ce projet. Un soir il lui propose d'aller donner du pain aux poissons. Quand on leur envoie des boulettes de pain, ils ont des mouvements brusques, rapides et charmants. Il dit à Suzanne à voix basse :

– Vous n'avez pas tenu votre promesse, ce n'est pas bien. Vous m'avez caché que ce grand idiot de Cazolles a demandé votre main.

– Qu'avez-vous contre lui ?

Il avoue alors :

– Je suis jaloux.

Elle répond d'un ton sérieux :

– Vous êtes fou Bel-Ami. Vous êtes marié !

Il se tourne vers elle et lui souffle, tout près, ces mots :

– M'épouseriez-vous si j'étais libre ?

Elle répond d'une voix sincère :

– Oui, Bel-Ami, car vous me plaisez bien plus que les autres.

Il se lève et dit avant de sortir :

– Merci... Ne dites rien à personne ! Attendez encore !

Il jette son dernier morceau de pain et s'enfuit.

Pendant les jours qui suivent il se montre très aimable avec sa femme. Depuis longtemps, il surveille ses allées et venues. Le moment qu'il attendait est arrivé. Ce soir-là, il lui propose d'aller chez les Walter. Elle refuse en disant qu'elle a mal à la tête. Il n'ajoute rien et sort, va se cacher dans un fiacre en face de la maison. Après dix minutes d'attente, Madeleine sort et se dirige vers les grands boulevards. Du Roy va dîner au restaurant, où il fait un excellent repas. Ensuite, il se fait conduire au commissariat de police, rue La Rochefoucault. Il y trouve de Lorme, le commissaire :

– Monsieur le commissaire, comme je le pensais, ma femme est en ce moment avec son amant, rue des Martyrs, dans un appartement de location. Prenez vos agents, nous pouvons les surprendre !

Ils gagnent la rue des Martyrs. Du Roy a un plan et connaît les lieux. Il frappe à la porte du deuxième étage, personne ne vient. Il frappe plus fort et menace de casser la porte. Une voix de femme, déguisée, répond :

– Qui est là ?

Le commissaire crie :

– Ouvrez, au nom de la loi !

Du Roy donne un coup d'épaule violent. La porte s'ouvre. Madeleine se tient debout, à peine habillée, une bougie à la main. Ils traversent une salle à manger où une table montre des restes de repas et une bouteille de champagne vide. Derrière, il y a une chambre, où des vêtements sont jetés de tous côtés. Le commissaire se tourne vers Madeleine et dit d'une voix forte :

– Madame Madeleine Du Roy, femme de Georges Du Roy ici présent, que faites-vous dans ce lieu à peine habillée ?

Elle ne répond pas. Sous la couverture du lit on devine une forme allongée. L'officier touche cette forme et dit :

– Monsieur, faites-vous connaître !

Georges ajoute :

– Ayez le courage de vos actes honteux !

Fou de colère, il tire la couverture. On voit un visage tout blanc aux longues moustaches noires. Cet homme dit :

– À qui ai-je à répondre, à vous, homme de loi, ou à ce fou furieux ?

– À moi monsieur ! lui répond le commissaire.

Comme l'homme continue à se taire, le commissaire ordonne :

– Levez-vous ! Je vais vous emmener puisque vous ne répondez pas.

Madeleine a retrouvé son calme, elle fume une cigarette. Avec un regard moqueur, elle jette au commissaire :

– Vous faites un métier qui n'est pas propre !

Le commissaire se tourne vers l'homme et annonce :

– Vous refusez de répondre, je suis donc obligé de vous arrêter.

L'autre crie :

– Vous n'avez pas le droit, je suis au-dessus des lois !

Alors Georges laisse tomber ces mots :

– Cet homme s'appelle Laroche-Mathieu, il est ministre.

– Il ne ment pas, c'est moi qui ait fait avoir à ce bandit la croix qui brille sur sa poitrine.

Du Roy jette alors la croix au loin et s'approche du ministre. Ils sont face à face, prêts à se frapper. Le commissaire se met entre les deux hommes et les éloigne.

– Monsieur le ministre, je vous ai surpris avec Mme Du Roy. Que pouvez-vous répondre ?

Il reste silencieux. L'homme de loi se tourne vers Madeleine :

– Ce monsieur est-il votre amant ?

Madeleine avoue fièrement :

– Voyez vous-même.

– Cela suffit, dit le commissaire.

Il note les faits sur son carnet. Le ministre demande alors s'il peut partir... C'est Georges qui lui répond :

– Restez ! C'est nous qui quittons cet endroit, nous n'avons plus rien à y faire.

Une heure plus tard, Georges Du Roy entre au journal avec un air de victoire. Le directeur lève la tête et demande :

– Vous paraissez bizarre, que se passe-t-il ?

Georges, sûr de lui, déclare :

– Je viens de jeter bas le ministre des Affaires étrangères, je l'ai surpris avec ma femme, j'étais accompagné d'un commissaire de police ! Dès demain, je demande le divorce. Je suis maître de la situation.

Walter regarde Du Roy en pensant : « Ce garçon est vraiment fort. Il faut se méfier de lui. » Du Roy ajoute :

– À présent, je suis libre et riche, ma femme n'était pas assez sérieuse, elle m'avait pris pour un idiot, mais j'irai loin ! Oui, j'irai loin ! Je vais faire un article qui sera dur pour le ministre, c'est un homme à la mer. Tant pis pour lui !

Chapitre XVI

Depuis trois mois, Du Roy vit seul ; il a obtenu le divorce et sa femme a repris le nom de Forestier. Ce beau jour de juillet, il va passer une journée à la campagne avec les Walter et le comte de Latour, le fiancé de Sophie, la sœur de Suzanne. Dans la voiture Georges regarde Suzanne, leurs yeux échangent mille tendres et secrètes pensées. Bientôt, on fait arrêter la voiture près d'un petit bois, pour se promener et admirer la vue sur le fleuve. Georges et Suzanne restent en arrière. Il lui dit à voix basse :

– Suzanne, je vous aime à en perdre la tête. Il faut que vous soyez ma femme.

– Moi aussi, je vous adore, demandez ma main à papa, peut-être voudra-t-il bien...

– C'est inutile, je vous le répète. Il veut que vous épousiez le marquis de Cazolles. Il n'y a qu'un moyen, un peu fou. Êtes-vous prête à faire ce que je vous dirai ?

– Oui.

– Ce soir, vous irez trouver votre mère. Vous lui avouerez que vous voulez m'épouser. Elle se mettra en colère et refusera. Puis vous irez voir votre père et vous lui direz la même chose. Et si vous êtes bien décidée... C'est grave... Alors, cette nuit, je vous enlèverai !

– Quel bonheur ! Comme c'est romantique ! Comment ferez-vous ?

– Je vous attendrai en bas de votre immeuble, vous me rejoindrez et nous irons dans un endroit secret.

– Suzanne, je vous aime à en perdre la tête. Il faut que vous soyez ma femme.

Mme Walter les appelle. Ils vont retrouver les autres. Du Roy ne dit plus rien, il pense qu'il va réussir. Oui ! Il a su la séduire : elle va refuser le marquis et ce soir elle partira avec lui ! C'est la seule chose à faire. Mme Walter, trop jalouse, n'aurait jamais accepté de lui donner la petite. Mais une fois loin, c'est au père qu'il aura affaire, d'homme à homme. Une fois rentré chez lui, il met de l'ordre dans ses papiers et fait ses bagages comme s'il partait pour un long voyage.

Cela fait déjà longtemps qu'il attend. Minuit a sonné et il commence à penser qu'elle ne viendra plus. Soudain, un bruit de pas, une tête de femme à la porte, c'est elle ! Le fiacre se met en route. Elle lui raconte :

– Avec maman, c'était affreux, quand j'ai commencé à parler, elle a crié : «Jamais ! Jamais !» Papa est arrivé, il ne s'est pas fâché, il a juste dit que vous n'étiez pas assez riche, pas assez important. J'ai crié plus fort qu'eux. Ils m'ont fait sortir. Je me suis décidée à vous rejoindre et me voilà, où allons-nous ?

Georges lui explique qu'ils vont loin de Paris, à la campagne. Elle pense à sa mère et se met à pleurer.

La mère ne dort pas. Elle a eu une discussion difficile avec son mari. Le patron a compris que Georges a séduit sa fille comme il sait toutes les séduire. Mme Walter ne veut rien entendre. Plus tard, n'arrivant pas à dormir, elle va trouver sa fille pour avoir une conversation sérieuse, pour essayer de la faire changer d'avis. Hélas, la chambre est vide : Suzanne a quitté la maison ! Elle court trouver son mari. Il comprend tout de suite. Maintenant Du Roy est maître du jeu. Il tiendra Suzanne cachée aussi longtemps qu'il le faudra. Ils n'ont pas le choix : ils ne peuvent plus refuser ce mariage. Mme Walter n'écoute rien. Elle pleure sans pouvoir s'arrêter. Walter a un mouvement de colère :

– Tu es idiote, il la tient et il l'aura. Nous n'avons rien à dire. Il ne reste qu'à accepter !

La pauvre femme ne sait plus qui appeler à son secours. Elle va devant le tableau de *Jésus marchant sur l'eau* et se met à prier. Mais elle voit Georges à la place de Jésus. À travers ses larmes, elle le voit avec sa fille, la serrer, la prendre, la posséder... Au petit matin, elle tombe de fatigue. Même dans ses rêves elle voit le jeune couple en train de s'embrasser, de rire, de se moquer d'elle. On la trouve le lendemain sans connaissance. Elle tombe gravement malade et l'on craint pour sa vie.

Après avoir reçu une lettre de Du Roy lui expliquant qu'il aime sa fille, qu'il s'est permis de la garder jusqu'à ce qu'il ait son accord pour le mariage, Walter lui envoie une réponse disant qu'il autorise le mariage. Il sait que Bel-Ami est le plus fort, il se dit qu'il a devant lui un bel avenir de ministre. L'accord obtenu, Du Roy renvoie la jeune fille à ses parents, jamais elle ne s'était tant amusée. De plus, Georges s'est montré habile : il n'a pas profité de la situation.

Chapitre XVII

Georges a retrouvé Clotilde dans leur appartement de la rue de Constantinople. Elle vient d'apprendre que Georges va se marier et elle est très en colère :

– Tu t'es mal conduit envers moi ! Tu n'as pas été honnête ! Tu avais bien préparé ton coup... Je sais comment tu as volé à Madeleine la moitié de son héritage !... Je sais que tu as enlevé Suzanne !... Je sais que tu as enlevé cette petite pour obliger ses parents à te la donner !

D'entendre toutes ces vérités n'avait rien fait à Du Roy, mais la dernière phrase le mit en colère. Il crie :

– Tais-toi ! Je n'ai pas touché à Suzanne !... Je t'interdis de parler d'elle ! Je te mettrai dehors !

Elle reprend de plus belle :

– C'est mon appartement ! Il est à moi ! Je l'ai loué ! Je dis ce que je veux.

Du Roy perd tout son calme. Il se jette sur elle et lui donne une énorme gifle qui la fait tomber contre le mur. Alors, comme un fou, il la bat jusqu'à ce qu'elle pleure de douleur. Il la laisse sur le sol et part en claquant la porte.

Le mariage est décidé, il aura lieu le 20 octobre. À présent Du Roy est devenu rédacteur en chef, il tient sous ses ordres tous les journalistes et collaborateurs de *la Vie française*. Il est l'homme le plus important après le directeur. Le mariage du baron Du Roy est un événement. Personne ne voudrait le manquer. Il y a une foule énorme devant et à l'intérieur de l'église. Les invités, tous

Suzanne est charmante dans sa belle robe blanche.

des gens haut placés — ministres, écrivains, artistes connus — se serrent au premier rang. Jacques Rival vient de rencontrer Norbert de Varenne. Ils discutent à voix basse :

– Savez-vous que Madeleine vient de prendre sous son aile un autre journaliste débutant, un jeune homme beau et intelligent, comme Du Roy ? Grâce à Vaudrec et à Laroche-Mathieu elle est riche ! Elle se débrouille bien...

Et Rival continue :

– On dit que Mme Walter refuse de s'adresser à Bel-Ami... En face de lui, elle a l'air d'une statue.

Tout le monde se tait. Les Walter viennent de faire leur entrée. Suzanne marche la tête baissée, charmante dans sa belle robe blanche. Le père a l'air bien sérieux, ses lunettes sur le nez. Mme Walter les suit. Elle avance doucement, son cœur bat dans sa poitrine, on la sent prête à tomber. Elle est devenue maigre et vieille, tous ses cheveux sont blancs. Georges Du Roy marche fièrement, la moustache en avant, les yeux durs. Sur son habit, on aperçoit la tache rouge de la Légion d'honneur. Ils sont suivis d'amis et de gens de la famille, tous bien habillés. Une musique s'élève dans l'église. Les lourdes portes se ferment. Maintenant Georges est à genoux, il écoute le discours du curé, il est question de fidélité... et c'est le moment d'échanger les alliances [1]. Un bruit fait tourner les têtes : Mme Walter pleure à chaudes larmes. Tous pensent que c'est l'émotion... Ce sont des larmes de colère, de jalousie, de haine peut-être... Du Roy est fou de joie et de fierté, il pense à ses parents à qui il a envoyé de l'argent. Ils doivent être contents de lui. Il aurait presque remercié Dieu de son succès, de sa réussite. Accompagnant la musique, des voix s'élèvent. Du Roy prend le bras de sa jeune femme. Aux portes de l'église tous les invités viennent féliciter les mariés. Du Roy remercie et répond aux compliments. Soudain, il aperçoit Clotilde. Elle s'approche, un peu timide, inquiète, et lui tend la main. Il la prend et la garde quelques instants. Leurs yeux se rencontrent, souriants, pleins d'amour. Elle dit tout bas :

– À bientôt, Bel-Ami.

Les mariés sortent. Dehors, la foule se presse et les applaudissent [2]. Tous les regardent avec admiration et envie. Georges ne les voit pas : dans sa tête flotte le visage de Clotilde, si belle après l'amour.

---

1. Alliances : bijoux que l'on échange et que chaque marié met au doigt de l'autre.
2. Applaudir : frapper ses mains l'une contre l'autre pour montrer qu'on est content. On applaudit les acteurs à la fin du spectacle.

Mots et expressions

Le monde des journalistes et des affaires

Actualité, *f.* : les événements qui se passent aujourd'hui.

Adversaire, *m.* : celui contre lequel on se bat dans un duel. De façon générale, celui qui est contre vous.

Agent de change, *m.* : personne dont le métier est d'échanger, pour un client, les titres financiers qu'il possède. L'agent de change travaille à la Bourse.

Algérie, *f.* : la France a conquis l'Algérie, pays d'Afrique du Nord, en 1830. C'est le début de l'Empire français.

Bénéfice, *m.* : argent gagné après une opération commerciale ou financière, quand tous les frais ont été payés.

Boursier, *m.* : personne qui travaille à la *Bourse*, endroit où se décide et s'échange la valeur des entreprises. À cette époque, les fortunes se faisaient grâce au commerce de l'argent et non par celui, plus direct, des marchandises.

Chronique, *f.* : dans un journal, récit vif et parfois moqueur, sur les habitudes de vie, la société. Celui qui l'écrit est un *chroniqueur.* Il y a ainsi des chroniqueurs de mode, des chroniqueurs littéraires, des chroniqueurs de la vie mondaine.

Duel, *m.* : combat à l'épée ou au pistolet entre deux personnes.

Échos, *m. pl.* : petites nouvelles de journal ; on les appelle aussi des « brèves ». Elles informent très rapidement sur des faits parfois sans grande importance.

École naturaliste, *f.* : à la suite de Flaubert, un groupe d'écrivains n'a plus voulu d'une littérature trop personnelle, pleine de romantisme. Ils ont voulu créer un roman « scientifique », dans lequel le destin des gens est toujours expliqué par leur naissance, leurs maladies, leur rang dans la société.

Enquête, *f.* : recherche de tous les faits qui permettront de comprendre comment un événement, intéressant ou mystérieux, s'est passé.

Escrime, *f.* : sport dans lequel deux personnes se battent à l'épée, arme en fer longue et fine. En escrime, la pointe de l'épée est arrondie afin que les combattants ne se blessent pas.

Faire fortune : devenir riche.

Fiacre, *m.* : voiture à chevaux qu'on prenait dans la rue, comme un taxi aujourd'hui.

Folies-Bergère : ancêtre du music-hall. Très à la mode à la fin du XIXe siècle. Toulouse-Lautrec mais aussi Manet les ont souvent peintes. On pouvait y passer la nuit, boire, manger et y faire des rencontres. Le spectacle se composait de danses, chansons, défilés de belles femmes plus ou moins habillées.

Goujat, *m.* : voyou, homme qui se conduit mal avec une femme.

Grands boulevards, *m. pl.* : après les transformations de Paris sous le second Empire, de très larges avenues ont été construites de la Bastille à la Concorde. On les a vite appelées les grands boulevards parce qu'on y trouvait les grands magasins, les théâtres, les principaux journaux, les cafés... et les Folies-Bergère.

Honnête femme, *f.* : par opposition à la femme facile, à la femme de mauvaise vie ; une femme qui reste toujours fidèle à son mari.

Honneur, *m.* : idée qu'on a de soi-même ; honnêteté, fidélité, sincérité. À l'époque de Maupassant, l'honneur jouait un grand rôle.

Imprimer : procédé industriel qui permet de sortir autant de livres ou de journaux qu'on souhaite en vendre.

Maître d'arme, *m.* : professeur d'escrime ou d'armes à feu.

Maîtresse, *f.* : compagne d'un homme, mais qui n'est pas mariée avec lui.

Nouvelle, *f.* : ici, petit récit, court roman. Autre sens du mot : les nouvelles sont les événements de la vie politique et sociale racontés dans un journal.

Patron, *m.* : dans certaines professions (police, journalisme), les employés appellent ainsi celui qui donne les ordres. Le directeur du journal est toujours appelé patron.

Pistolet, *m.* : arme qui envoie une balle, comme un revolver, mais plus légère.

Poète, *m.*, **poésie,** *f.* : le poète écrit de la poésie, art qui permet de jouer avec les mots.

Publier : rendre un écrit public en l'offrant à lire. L'éditeur publie des livres et la « presse » des journaux, des magazines.

Ragots, *m. pl.* : bavardages plus ou moins méchants ou faux sur des gens généralement connus.

Rédacteur, *m.* : journaliste qui écrit les nouvelles, par opposition au journaliste d'enquête ou au reporter.

Rubrique, *f.* : dans un journal, c'est la place des articles parlant d'un même sujet ; par exemple la rubrique de politique intérieure, ou de poli-

TITRES PARUS OU À PARAÎTRE

Série Vivre en français

La Cuisine française (niveau 1)*
Le Tour de France (niveau 1)

La Grande Histoire de la petite 2cv (niveau 2)*
La Chanson française (niveau 2)
Le Cinéma français (niveau 2)

Cathédrales et abbayes de France (niveau 3)

Série Grandes œuvres

Carmen, *P. Mérimée* (niveau 1)*
Contes de Perrault (niveau 1)*

Lettres de mon moulin, *A. Daudet* (niveau 2)*
Le Comte de Monte-Cristo, *A. Dumas*, tome 1 (niveau 2)*
Le Comte de Monte-Cristo, *A. Dumas*, tome 2 (niveau 2)*
Les Aventures d'Arsène Lupin, *M. Leblanc* (niveau 2)*
Poil de Carotte, *J. Renard* (niveau 2)
Notre-Dame de Paris, *V. Hugo*, tome 1 (niveau 2)
Notre-Dame de Paris, *V. Hugo*, tome 2 (niveau 2)
Germinal, *E. Zola* (niveau 2)

Tartuffe, *Molière* (niveau 3)*
Au Bonheur des Dames, *E. Zola* (niveau 3)*
Bel-Ami, *G. de Maupassant* (niveau 3)*

Série Portraits

Victor Hugo (niveau 1)

Colette (niveau 2)*
Les Navigateurs français (niveau 2)

Coco Chanel (niveau 3)
Gérard Depardieu (niveau 3)*

*Un dossier de l'enseignant est paru pour ces 12 premiers titres.
Un autre est en préparation pour les 12 autres titres.

Imprimé en France par I.M.E. - 25110 Baume-les-Dames
Dépôt légal n° 5375-07/1993
Collection n° 04 - Édition n° 01
15/4973/2

tique étrangère, la rubrique du sport, des spectacles, etc.

Scandale, *m.* : quand éclate la vérité sur des actes malhonnêtes, commis par des gens haut placés.

Séduire : gagner l'amour de quelqu'un grâce à du charme, de l'intelligence ou de la beauté. On dit d'une personne qu'elle est *séduisante*, qu'elle a de la *séduction*.

Témoin, *m.* : dans un duel, chacun des deux combattants est obligatoirement accompagné par deux amis. Ces quatre personnes assistent au combat pour s'assurer qu'il se déroule honnêtement.